D1383414

Villages pittoresques
du Québec

Les photographies de cet ouvrage ont été prises par l'auteur, sauf exceptions suivantes.
Saint-Joseph-de-la-Rive (p. 237) : photographie de la fabrication artisanale du papier à la papeterie par Renald Veillette,
Papeterie Saint-Gilles. Saint-Irénée (p. 243) : photographie de la terrasse du Domaine Forget par François Rivard. Percé (p. 325) :
photographies du rocher par Jean-Louis Le Breu. Harrington Harbour (p. 348, 349) : photographies au sol par Isabelle Lejeune.
Pierre Lahoud est l'auteur des photographies aériennes.
Les cartes ont été réalisées par Chantal Gingras et Yves Laframboise.

Catalogage avant publication de la Bibliothèque nationale du Canada

Laframboise, Yves
    Villages pittoresques du Québec : guide de charmes et d'attraits

    1. Québec (Province) - Descriptions et voyages. 2. Villages - Québec (Province) - Guides.
    3. Québec (Province) - Ouvrages illustrés. 4. Villages - Québec (Province) - Ouvrages illustrés. I. Titre.

FC2917.6.L33 2004   917.1404'5   C2004-940303-6

Distributeurs exclusifs :

• Pour le Canada
et les États-Unis :
MESSAGERIES ADP*
955, rue Amherst
Montréal, Québec
H2L 3K4
Tél. : (514) 523-1182
Télécopieur : (514) 939-0406
* Filiale de Sogides ltée

• Pour la France et les autres pays :
INTERFORUM
Immeuble Paryseine, 3, Allée de la Seine
94854 Ivry Cedex
Tél. : 01 49 59 11 89/91
Télécopieur : 01 49 59 11 96
Commandes : Tél. : 02 38 32 71 00
                  Télécopieur : 02 38 32 71 28

• Pour la Suisse :
INTERFORUM SUISSE
Case postale 69 - 1701 Fribourg - Suisse
Tél. : (41-26) 460-80-60
Télécopieur : (41-26) 460-80-68
Internet : www.havas.ch
Email : office@havas.ch
DISTRIBUTION : OLF SA
Z.I. 3, Corminbœuf
Case postale 1061
CH-1701 FRIBOURG
Commandes : Tél. : (41-26) 467-53-33
                 Télécopieur : (41-26) 467-54-66
                 Email : commande@ofl.ch

• Pour la Belgique et le Luxembourg :
INTERFORUM BENELUX
Boulevard de l'Europe 117
B-1301 Wavre
Tél. : (010) 42-03-20
Télécopieur : (010) 41-20-24
http://www.vups.be
Email : info@vups.be

Pour en savoir davantage sur nos publications,
visitez notre site : **www.edhomme.com**
Autres sites à visiter : www.edjour.com • www.edtypo.com
www.edvlb.com • www.edhexagone.com • www.edutilis.com

Gouvernement du Québec – Programme de crédit d'impôt pour
l'édition de livres – Gestion SODEC – www.sodec.gouv.qc.ca

L'Éditeur bénéficie du soutien de la Société de développement des
entreprises culturelles du Québec pour son programme d'édition.

Nous remercions le Conseil des Arts du Canada de l'aide accordée à
notre programme de publication.

Nous reconnaissons l'aide financière du gouvernement du Canada
par l'entremise du Programme d'aide au développement de l'industrie de l'édition (PADIÉ) pour nos activités d'édition.

Yves Laframboise

Villages pittoresques du Québec

Guide de charmes et d'attraits

Cet ouvrage n'aurait pu être mené à terme sans la collaboration de personnes provenant de différentes régions du Québec. Elles ont agi soit à titre d'informateurs, à cause de leur connaissance particulière d'un territoire géographique, soit à titre de figurants, à cause de leur pratique de métiers traditionnels. Qu'elles soient remerciées ici !

Mmes Judy Antle (Stanbridge-Est), Clodet Beauparlant (Saint-Jean, île d'Orléans), Christine Bertrand (Saint-Antoine-sur-Richelieu), Sylvie Blais (Ministère de la Culture et des Communications, Direction de Montréal), Monique Bourget (Ministère de la Culture et des Communications, Direction de l'Est du Québec), Lucy Brus (Hatley), Michelle Landriau (Carillon), Angèle D. Matte (Cap-Santé), Brigitte Mornard (Tangram), Danièle Potvin (Ministère de la Culture et des Communications, Direction de l'Estrie), Katherine Tremblay (Manoir Mauvide-Genest).

MM. Phil Baker (Stanbridge-Est), Bernard Boivin (Saint-Joseph-de-la-Rive), Georges Bussière (Frelighsburg), Serge Carrière (Lachute), Gaston Gagnon (Ministère de la Culture et des Communications, Direction du Saguenay — Lac-Saint-Jean), Guy Drapeau (Kamouraska), Jean-Claude Jay-Rayon (Secrétariat aux Affaires régionales, Québec), François Landreville (Municipalité régionale de comté Le Haut-Saint-Laurent), Réal Lauzier (Kamouraska), Jean-Louis Le Breu (Percé), Ken Meany (Noyan), Howard J. Peterson (Hatley), Gaétan Pilon (Saint-Antoine-sur-Richelieu), Richard Saint-Pierre (Ministère de la Culture et des Communications, Direction de la Montérégie), John Scott (Georgeville), Cyril Simard (Saint-Joseph-de-la-Rive), Terry Skeats (North Hatley).

Des remerciements particuliers s'adressent, dans le cas de Harrington Harbour, à Mme Isabelle Lejeune pour son aide à l'illustration de ce village.

Enfin, je suis redevable à M. Pierre Lahoud d'un apport exceptionnel, celui de la couverture photographique aérienne. Ce patrouilleur des airs, aussi passionné qu'infatigable, a mis sans réserve à ma disposition ses connaissances et sa longue expérience.

Cette carte situe la quarantaine de villages et hameaux présentés dans ce livre ; ils sont classés en neuf régions différentes sur lesquelles nous avons écrit neuf chapitres correspondants. Au début des chapitres, une carte plus détaillée de la région indique l'emplacement précis de ces localités.

❱ Pour des raisons d'ordre pratique et pour aider le lecteur à mieux planifier ses visites et ses vacances au Québec, nous avons regroupé les villages et hameaux sélectionnés pour ce livre en neuf grandes régions touristiques :

- ❱ L'Estrie (en grande partie la région historique des Cantons-de-l'Est)
- ❱ La Montérégie
- ❱ Les Laurentides
- ❱ L'île de Montréal
- ❱ Les environs de Québec
- ❱ La région de Charlevoix
- ❱ La Côte-du-Sud
- ❱ Le Bas-Saint-Laurent et la Gaspésie
- ❱ Le Saguenay et la Côte-Nord

Ce classement des régions correspond *grosso modo* à une lecture du sud au nord. À l'intérieur de chaque région, les villages et hameaux sont présentés d'ouest en est ou, le cas échéant, du sud au nord.

Chaque chapitre commence par un texte de présentation et une carte détaillée de la région montrant l'emplacement précis des villages et des hameaux (points rouges). On trouve aussi sur cette carte les repères géographiques essentiels : les autres localités (points verts), les routes principales (lignes grises), les autoroutes (pointillés) et les noms des cours d'eau.

À l'intérieur des chapitres, chaque village fait l'objet d'une présentation générale accompagnée d'une description de ses principaux attraits et d'une fiche signalétique concernant son statut en vertu du système municipal. Selon l'importance et l'intérêt que revêt chaque lieu, des renseignements supplémentaires ont été fournis : notices biographiques, descriptions d'époque et adresses utiles.

Un index placé à la fin du livre permet au lecteur de retrouver rapidement les villages qui l'intéressent.

▶ Qui n'a pas eu dans sa vie le plaisir de flâner des heures dans la nature et d'admirer des paysages somptueux ? Qui ne regrette pas parfois l'atmosphère qu'un village pittoresque lui a un jour révélée ? Qui ne se rappelle pas avoir visité un endroit à l'improviste, après que l'intérêt pour la destination initiale eut disparu ?

Nous entretenons avec les lieux des sentiments identiques à ceux que nous suggèrent les relations avec nos semblables. Les impressions se créent au hasard de nos déplacements. Elles sont rarement prévisibles. Elles restent gravées en nous, comme des rencontres qui marquent : comme ce village aperçu du haut d'une côte, ou en descendant les pentes d'une cuvette dans laquelle il niche. Quand on voyage le long du fleuve, d'autres images surgissent dans la splendeur d'une scène grandiose. Très souvent, un coup de cœur les imprime dans notre mémoire. D'autres fois, pour qu'elles s'enregistrent dans notre for intérieur, nous sentons le besoin de découvrir progressivement des lieux pour en faire une appréciation prudente et arriver à une certitude.

Souvent, dans la plaine du Saint-Laurent, un clocher solitaire s'élance, rappelant la fragilité et le caractère incertain de la destinée humaine. Tout autour dans les champs, les blés élèvent leurs tiges vers le ciel, comme les fidèles cherchant leur voie.

Dans le Bas-Saint-Laurent, il faut s'attarder le long du fleuve, pour admirer les montagnes imprévisibles, les champs sculptés au gré d'un labeur incessant, les battures, dont la présence fantomatique dépend du cycle des marées, les oiseaux nichant dans les fractures rocheuses, et ces fragiles groupements d'habitations disposés le long de quelques arpents de pays. De la rive sud, lorsque le jour tire à sa fin, il faut contempler les effets du soleil découpant le mince profil de ces îles admirables.

Alors que dans la plaine du Saint-Laurent, l'imagination du voyageur s'accroche aux réalités du fleuve, à ses rives et à ses habitations, ailleurs, l'absence de limites lui donne le vertige. Surprise et étonnement le saisiront au sommet de la côte de Saint-Irénée dans le comté de Charlevoix. À la vue d'un minuscule hameau frôlant timidement un fleuve aux proportions gigantesques, dans un vaste paysage, comment ne pas ressentir un frisson d'admiration ? À Percé, le regard est d'abord attiré par le sommet tabulaire du mont Sainte-Anne, puis se tourne vers le bas de ses pentes jusqu'aux fragiles constructions humaines et contemple ensuite cet immense navire qu'est le rocher pour se porter finalement vers l'océan. La grandeur de certains paysages nous laisse avec un sentiment d'admiration mêlé de stupéfaction. Comment ne pas nous interroger sur notre propre grandeur ?

Dans les Cantons-de-l'Est, le fleuve n'est pas l'élément majeur du paysage. Il faut voir les grands panoramas du haut de sommets pour observer de coquets petits villages se nichant en bas, ou alors des habitats éparpillés dans un relief accidenté. On s'étonnera de l'alternance entre les feuillages et les matériaux de construction, de ce jeu de cache-cache auquel se livrent les maisons et la végétation, et de voir à quel point les arbres modifient notre perception du milieu bâti.

Certains villages apparaissent soudain au détour d'une route de campagne. D'autres sont dissimulés derrière un massif forestier et n'accordent au voyageur pressé qu'une vue tronquée. Par une belle journée ensoleillée de septembre, on dévalera les pentes d'un chemin tortueux menant au village de Frelighsburg, et on entendra le murmure du ruisseau, le chant des oiseaux, le mince bruissement du vent dans les feuilles. Voilà bien une cantate dont on peut goûter chaque instant privilégié. Certains villages agissent comme des remèdes salutaires. À Georgeville, on pourra faire une cure de repos et retrouver la paix intérieure.

Il ne faut pas s'étonner en apprenant que certains citadins, désireux de conserver leur trésor, essaient de garder son existence secrète. Que dire de ces villages n'appartenant qu'à leurs résidents ? Dans certaines agglomérations presque complètement ignorées du public, le partage n'a pas encore eu lieu, et le secret persiste.

Les saisons montrent les villages sous des jours différents. L'hiver, certains sont en apparence déserts ; seul l'air chaud des cheminées vibrant dans l'air froid comme des mirages suggère des existences fragiles. L'automne surprend toujours, lorsque la végétation s'habille de couleurs intenses. En cette saison de nuages, les feuilles mortes poussées par les bourrasques du vent donnent une apparente mélancolie à certains villages très arborés.

Comment exprimer toutes les sensations agréables que suggèrent les beaux paysages villageois ? Les sentiments et les émotions qu'ils provoquent ne peuvent pas tous être traduits par les mots et les images. Ce but ultime ne pouvant être atteint, disons que ce livre témoigne des impressions d'un admirateur parmi tant d'autres des villages du Québec. Souhaitons que l'imagination du lecteur fera le reste, qu'il voudra visiter ces lieux, et qu'il aura le plaisir de découvrir des villages et des paysages dont on ne se lasse pas.

Y. L.

> Au Québec, le village a modelé le paysage rural marqué par la culture européenne ; l'un des premiers types d'agglomérations dans l'histoire de l'occupation humaine dans la vallée du Saint-Laurent, il subsiste encore dans la plupart des régions du Québec. Que reste-t-il de cette réalité physique ? Si plusieurs villages sont aujourd'hui en piètre état, certains ont conservé un cachet particulier et d'autres sont exceptionnels.

Quels sont ces villages ? À quoi ressemblent-ils ?

Cet ouvrage présente une quarantaine de villages québécois choisis selon un ensemble de critères élevés : la beauté de leur paysage et de leur cadre naturel sont, sinon remarquables, pour le moins dignes de mention. La qualité de leur bâti se définit par la proportion importante de maisons anciennes bien conservées par rapport à leur état d'origine, par le petit nombre de constructions contemporaines, et par la présence d'alignements de bâtiments d'intérêt patrimonial. Ces villages ont pour l'essentiel conservé leur caractère ancien et en général ils s'organisent autour d'un élément significatif, le plus souvent une place de l'église ou un moulin. Un peu comme les plats composés où la proportion des ingrédients varie, chaque village forme un tout pittoresque, aux nombreux attraits historiques et naturels. Leur charme tient à l'ambiance des lieux, au caractère original ou spectaculaire de l'implantation et à l'intégrité de la trame.

Qu'entend-on plus précisément par village ? Nous avons retenu ces groupements d'habitations relativement compacts répartis le long d'une ou de plusieurs voies de communication, et dotés de services communs. Nous avons aussi inclus les hameaux, ces groupements plus petits organisés autour d'une fonction unique, habituellement axée sur des activités industrielles ou agricoles.

A priori, toutes les agglomérations ayant le statut de villes ont été écartées. Étaient donc admissibles les territoires ayant le statut de village (VLG), de paroisse (PAR) ou n'ayant aucun statut particulier (SDS) au sens du répertoire gouvernemental intitulé *Les régions administratives du Québec*. Toutefois, nous avons fait quelques exceptions à cette règle pour les agglomérations dont le peuplement remonte à une époque ancienne et qui, encore aujourd'hui, forment des entités faciles à distinguer dans le paysage. Il en est ainsi de ces petits hameaux autonomes rattachés à des entités administratives plus grandes. C'est aussi le cas d'entités villageoises anciennes ayant accédé au statut de ville à la suite de regroupements municipaux ou de fusions, où la morphologie d'origine a été conservée. Percé (aujourd'hui Percé) et Knowlton (aujourd'hui Lac-Brome) en témoignent. Pour l'ensemble de notre sélection, nous n'avons retenu que des villages «vivants». Autrement dit, les villages artificiels recréés à des fins touristiques, les villages faisant l'objet d'une interprétation à des fins muséales ainsi que des formes villageoises conservées à l'intérieur de parcs ou de réserves gouvernementales n'ont pas retenu notre attention.

Les villages, un phénomène avant tout propre au XIXe siècle

On pourrait croire de prime abord que les villages québécois sont apparus à une époque très ancienne, soit aux premiers temps de la colonie. On aurait en bonne partie raison, puisqu'à la fin du XVIIe siècle, soit au tout début de la colonie française, il y en a déjà une dizaine regroupés autour de deux centres importants, Montréal et Québec. Neuville est de ceux-là. Au milieu du XVIIIe siècle, seuls deux nouveaux villages apparaissent. À ces premières agglomérations s'ajoutent plusieurs petits domaines seigneuriaux éparpillés dans la vallée du Saint-Laurent. Ils forment des sortes de hameaux composés d'un manoir, d'un moulin, d'une église et de quelques habitations.

Mais il n'y a rien de comparable entre cette modeste croissance des débuts et l'expansion rapide du début du XIXe siècle, la poussée colonisatrice ayant provoqué dans beaucoup de régions du Québec un véritable éclatement. En quelques décennies, on passe d'une cinquantaine de villages à environ 300! C'est au cours de cette période qu'apparaissent la plupart des villages dont il est question dans notre ouvrage: Carillon, Saint-André-Est, Frelighsburg, Pigeon Hill, Deschambault, Les Éboulements, Saint-Irénée, Cap-Santé, Kamouraska, Lotbinière, Saint-François-de-la-Rivière-du-Sud, Saint-Michel-de-Bellechasse, Saint-Roch-des-Aulnaies et Saint-Jean (île d'Orléans).

Le même modèle de formation se répète la plupart du temps sur les rives du fleuve. À un certain stade de son développement, une agglomération compte suffisamment d'habitants pour justifier l'existence de services communs et la présence d'artisans spécialisés et de commerçants. Ces villages, dominés par une église, un manoir ou un moulin, s'étalent sur quelques arpents.

Dans les régions maritimes, une anse abritée attire les pêcheurs qui y bâtissent leurs maisons, des hangars et des installations de transformation. Percé est un bel exemple.

Dans les Cantons-de-l'Est, le modèle présente d'autres particularités. Le système des cantons étant utilisé au lieu du système seigneurial, les agglomérations ne présentent pas ces alignements réguliers en forme de peigne, où les constructions sont disposées de part et d'autre d'un axe linéaire. Le plus souvent, l'implantation s'agence en fonction d'un cours d'eau, là où un premier colonisateur installe un moulin. La petite communauté, qui s'organise autour de ce bâtiment, forme un noyau de peuplement dominé par quelques églises représentatives des différentes confessions religieuses. La localisation géographique est importante. Ainsi, un emplacement stratégique au carrefour d'axes de communication naturels fait de l'endroit un petit centre de commerce régional. C'est le cas de Frelighsburg. Si le noyau en reste à sa fonction industrielle première, sans développement notable, il forme un petit hameau tel Hunters Mills. La capacité de rassemblement des activités agricoles, seul dénominateur commun de petits hameaux comme Pigeon Hill, n'est pas à négliger non plus.

À partir de la seconde moitié du XIXe siècle, les bourgeois, qui sont attirés par la nature, transforment certaines petites agglomérations en centres de villégiature. Senneville sur l'île de Montréal, Métis-sur-Mer dans le Bas-Saint-Laurent et Tadoussac sur la Côte-Nord en témoignent. Des gens moins nantis ont pu suivre ce mouvement et ont formé des villages à l'architecture plus modeste : c'est le cas de Saint-Fabien-sur-Mer, lieu de plaisance apparu tardivement, soit au début du XXe siècle, qui marque la fin de la période de formation des villages ayant pour nous un intérêt historique.

Un avenir incertain

Reflets de notre société, les villages en portent les contradictions. Notre sélection, qui dépasse à peine la quarantaine, montre à quel point beaucoup ont été transformés. L'urbanisation intense auquel le territoire québécois a été soumis à partir des années 1950 en a fait disparaître plusieurs, les faisant accéder rapidement au statut de villes. D'autres ont vu leur structure modifiée à un point tel que même en gardant le statut de village, ils en ont perdu les caractères distinctifs.

Aujourd'hui, le développement touristique est devenu une source importante de revenus pour plusieurs populations locales. Ce phénomène, sans cesse croissant, a de plus en plus d'incidence sur la modification des paysages villageois.

Aujourd'hui, deux lois provinciales majeures visant l'aménagement du territoire, la Loi sur l'aménagement et l'urbanisme et la Loi sur les biens culturels, sont en application sur le territoire québécois. Elles donnent aux gestionnaires municipaux et aux citoyens des pouvoirs importants qui leur permettent de contrôler le développement de la configuration de leur agglo-mération. Dans le cas de bien des villages, ces pouvoirs arrivent trop tard, puisque les transformations subies par le milieu construit sont irréversibles. Dans d'autres cas, tout est encore possible. Certains sont même devenus membres de *l'Association des plus beaux villages du Québec*, organisme de pro-motion mis sur pied peu de temps après la publication de ce livre, soit en 1997-1998 (www.beauxvillages.qc.ca).

Précisons que la conservation des villages ne vise pas à empêcher leur développement. Il peut y avoir des constructions récentes dans les paysages villageois, mais celles-ci doivent être soumises à des règles précises concer-nant leur aspect, leur nature, leur nombre et leur emplacement. De plus, il est très important de bien les localiser et de se préoccuper de leur vocation. Par ailleurs, la conservation des bâtiments anciens n'est pas en soi un obstacle à leur rénovation pas plus qu'elle n'oblige à préserver intégralement les élé-ments architecturaux d'origine. Mais elle requiert que ces transformations soient effectuées soigneusement, et qu'elles respectent l'esprit des premiers bâtisseurs. Les villages sont des entités vivantes, en perpétuelle mutation. Aux villageois, aux élus municipaux et à tous les citoyens de les reconnaître comme étant une part importante de notre patrimoine culturel québécois en veillant soigneusement à leur destinée.

Une présentation avant tout illustrée

Nous avons utilisé la photographie pour présenter les lieux. Avant tout, nous avons voulu donner au lecteur le plaisir de découvrir par l'image les formes du paysage villageois, ses points de vue privilégiés et ses détails pittoresques. Certes, les photos résultent d'un choix subjectif – l'angle de l'objectif, la com-position, le moment de la journée où le cliché a été réalisé –, mais ces choix ont pour seul but de mettre en évidence leur beauté.

Grâce à des photographies aériennes, le lecteur peut aussi examiner les villages en plongée, admirer leur forme et mieux saisir leur situation dans le paysage. À l'aide de croquis, il peut faire une lecture plus rigoureuse de la morphologie de chacun d'eux et repérer l'emplacement de phénomènes significatifs et de leurs attraits.

Les textes, volontairement brefs, décrivent les circonstances dans lesquelles les villages sont apparus et mettent l'accent sur les facteurs à l'origine de leurs formes actuelles. Plusieurs citations sont des observations tirées des études sur les régions du Québec effectuées en 1863 par Stanislas Drapeau. Cet agent de colonisation a parcouru le territoire au milieu du XIXe siècle, soit à l'époque où la plupart des villages sélectionnés pour le présent ouvrage ont été créés. La pertinence de ses propos mérite notre attention. En étudiant ces commentaires qui ont été émis il y a déjà très longtemps, nous pouvons porter un regard plus critique sur l'état actuel des villages. Cela nous permet d'apprécier leur état de conservation ou, au contraire, de réfléchir aux aléas du destin récent.

Il arrive que certains attraits ou curiosités touristiques ne se retrouvent pas dans les limites strictes du village et qu'ils soient inclus par exemple dans une portion de territoire rural, comme dans le cas de localités ayant le statut de paroisse. D'ordinaire, de tels attraits ont quelque chose à voir avec la configuration même du village, avec des éléments du paysage, des bâtiments ou des groupes de bâtiments. Enfin, en ce qui concerne les bâtiments jugés exceptionnels, qui sont protégés par la loi ou les règlements municipaux, nous les avons identifiés par un sigle correspondant :

Signification des sigles

AH : localité ayant une partie désignée arrondissement historique
    en vertu de pouvoirs provinciaux.
AN : localité ayant une partie désignée arrondissement naturel
    en vertu de pouvoirs provinciaux.
SH : localité ayant une partie décrétée site historique
    en vertu de pouvoirs provinciaux.
MH : bâtiment classé monument historique ou reconnu
    comme tel en vertu de pouvoirs provinciaux.
SP : localité ayant une partie décrétée site du patrimoine
    en vertu de pouvoirs municipaux.
MC : bâtiment classé monument historique
    en vertu de pouvoirs municipaux.

Signification des pictogrammes dans *ADRESSES UTILES*

H hébergement   R restauration   ! attrait

A alimentation   M musée   S sports/loisirs

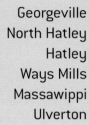

Estrie

Georgeville
North Hatley
Hatley
Ways Mills
Massawippi
Ulverton

Nous sommes redevables du terme Estrie à monseigneur O'Bready qui l'utilisa le premier en 1946 alors qu'il était secrétaire général de la Société historique des Cantons-de-l'Est.

Avec en son centre la ville industrielle de Sherbrooke, l'Estrie est une région dotée de particularités naturelles et humaines qui lui confèrent une identité unique au Québec. Les immigrants anglo-saxons qui ont d'abord occupé son relief montagneux dans les premières années du XXe siècle lui ont donné un air de famille avec la Nouvelle-Angleterre, la région qui lui est contiguë au sud.

On comprend mieux la spécificité de l'Estrie, de ses paysages et de ses villages, quand on sait que son territoire est formé de deux entités naturelles distinctes. Au nord-est de Sherbrooke, une grande région dite « des Chaînons » recouvre une partie de l'Estrie, de la Beauce et de Bellechasse. Il s'agit de collines orientées du sud-ouest au nord-ouest dont la hauteur est en moyenne de 350 mètres. Dans ce pays aux bonnes conditions climatiques où une courte période de gel annuelle favorise l'agriculture, les terres cultivées alternent avec les forêts. Les lacs, les rivières, les collines et les monts parsèment l'ensemble du territoire. Il y a le long de la rivière Saint-François de magnifiques paysages où des

La rue principale de Ways Mills à l'automne.

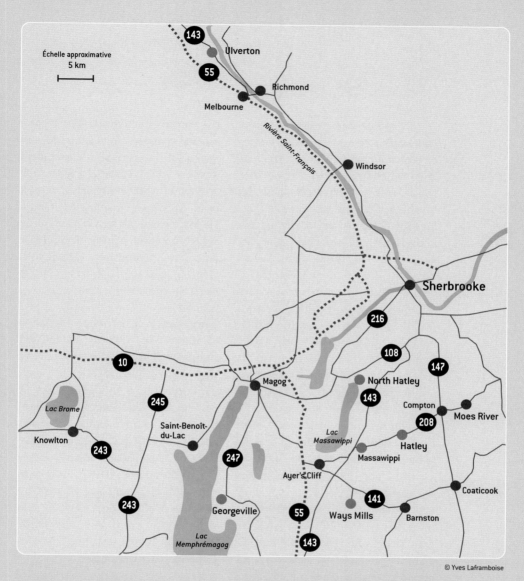

Échelle approximative
5 km

143
Ulverton
55
Richmond
Melbourne
Rivière Saint-François
Windsor
Sherbrooke
216
108
10
147
Magog
North Hatley
245
143
Compton
Moes River
Lac Brome
Saint-Benoît-
du-Lac
208
243
Hatley
Knowlton
Lac
Massawippi
Massawippi
247
Ayer's Cliff
Coaticook
243
141
Georgeville
55
Ways Mills
Barnston
Lac
Memphrémagog
143

groupements d'habitations occupent ici et là les douces pentes des collines ou sont agglutinés près de la rivière comme dans les régions de Melbourne et de Richmond. Blotti au milieu de petites collines, le hameau d'Ulverton est entouré de champs cultivés, de pâturages et de grands terrains boisés. Avec ses bâtiments en brique, ses granges rouges, ses maisons inspirées de l'architecture vernaculaire américaine, Ulverton est un curieux îlot qui semble appartenir à une autre culture. Plus au sud, les habitants de Moes River, le long de la rivière du même nom, ont pu subsister grâce à l'agriculture, à l'élevage et au sciage du bois.

Au sud de Sherbrooke, les paysages changent sensiblement d'aspect. La région du mont Sutton, formée de la partie sud-ouest des Appalaches, constitue le prolongement direct des montagnes Vertes américaines. Partageant avec la Montérégie une petite partie de ce relief, dont fait partie le mont Sutton, c'est elle qui est véritablement caractéristique de l'Estrie. Signalons l'orientation sud-est nord-ouest particulière de cette chaîne. En effet, les lacs Memphrémagog et Massawippi forment de grands plans d'eau allongés dans le même axe. Dans une belle campagne accidentée de rivières, de monts rocheux et de lacs se cachent des agglomérations villageoises dont l'architecture est inspirée de celle de la Nouvelle-Angleterre.

Des colons loyalistes d'abord établis vers 1796, suivis d'une deuxième vague d'Américains vers 1820-1830, n'ont pas tardé à donner à la région son cachet. En effet, on y trouve aujourd'hui tous les éléments propres à ce qui s'appelle l'architecture vernaculaire américaine : petites églises protestantes de couleur blanche, maisons de bois à toits à deux versants agrémentés de corniches inspirées de l'Antiquité, bâtiments publics arborant des éléments architecturaux *Greek Revival*, fenêtres à guillotine à plusieurs carreaux. Les agglomérations se distinguent aussi par leur implantation et leur organisation spatiale. Les maisons, en retrait de la route, se dissimulent derrière des rideaux d'arbres. Il arrive que toute la rue principale soit bordée d'arbres, comme c'est le cas à Hatley. On trouve aussi au centre du village un grand espace commun, le parc public, comme à Georgeville. Des villages plus discrets, comme celui de Ways Mills, témoignent du rapport étroit entre l'habitat et les contraintes que la nature impose à l'homme. En plus de toutes ces richesses, l'Estrie s'enorgueillit de lieux de villégiature que de riches Américains ont fréquentés dès le XIXe siècle. En bordure du lac Massawippi, avec un étagement de belles résidences sur les collines avoisinantes, North Hatley est l'exemple même du village raffiné. Un si petit espace recelant tant de beautés vaut tous les déplacements dans ce coin du Québec limitrophe des États-Unis, mais heureusement à l'abri des effets du taux de change.

Détail d'entrée d'une maison de Ways Mills.

> Georgeville

Un ancien carrefour de voies de communication sur les rives du lac Memphrémagog

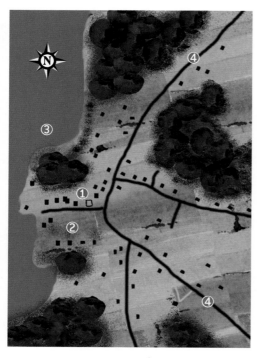

1. Jardin des Pionniers
2. Parc public
3. Lac Memphrémagog
4. Route 247

À mi-chemin entre la ville de Magog et la frontière américaine, le petit village de Georgeville jouxte les rives du lac Memphrémagog, de biais avec Saint-Benoît-du-Lac dont on aperçoit distinctement le clocher. À partir de Magog, une route agréable légèrement en surplomb par rapport aux rives sillonne les abords du lac ; le long de ce parcours, on découvre de belles vues panoramiques où se succèdent d'avantageux points de vue sur le plan d'eau et sur la rive opposée. De nombreux chalets, des résidences et de grandes demeures, qui parsèment la route, occupent des emplacements privilégiés sur des buttons ou en contrebas.

L'entrée dans Georgeville se fait soudainement. Quelques belles maisons anciennes de style néo-classique forment un alignement du côté du lac. On découvre ensuite le centre du village, en fait un petit groupement de constructions autour d'un carrefour de voies lacustre et terrestres. Ces dernières mènent vers Fitch Bay et Tomifobia au sud. L'existence d'une liaison par le lac n'est pas évidente si ce n'est la présence d'un quai témoignant de sa création dès le début du XIXe siècle. En plus de cette voie de communication entre les deux rives, les voyageurs pouvaient prendre le vapeur qui assurait la liaison quotidienne avec Newport au Vermont.

Les origines de Georgeville remontent à près de deux cents ans. Le canton de Stanstead est arpenté en 1792 et le premier colon s'établit en 1796. La colonisation des rives du lac Memphrémagog commence en 1797 avec le capitaine Moses Copp, venu du New Hampshire, qui s'établit à l'endroit aujourd'hui appelé Georgeville. La situation de cet établissement sur les rives du lac attire d'autres colons qui forment rapidement l'embryon d'un

village. Le capitaine Copp réunit les rives est et ouest du lac par un traversier. Cet endroit est appelé « Copp's Ferry » jusqu'en 1822, année où il prend le nom de Georgeville.

L'agglomération s'organise autour d'un grand espace ouvert formé par la rencontre de la route menant au quai, de la route 247, et de petits chemins secondaires. L'édifice municipal, les deux chapelles protestantes et l'ancien hôtel se font face.

Apparemment insensible aux attraits de l'industrie et du tourisme de masse, le village a conservé son caractère paisible du XIXe siècle : l'atmosphère y est propice à la détente et à la marche dans un décor d'un siècle révolu. Camouflée à mi-pente dans les feuillages, l'Auberge Georgeville, une grande résidence de style Second Empire, offre le gîte au passant.

Le jardin des Pionniers à Georgeville, une initiative de la société historique locale visant à recréer dans un espace clos les principales cultures potagères pratiquées par les premiers colons.

L'architecture résidentielle

Même s'il n'y a pas de grandes demeures somptueuses à Georgeville, l'architecture résidentielle comporte plusieurs maisons dignes d'intérêt. La plupart remontent au XIXᵉ siècle et se rattachent par leur facture au style vernaculaire américain. Un bel alignement de maisons blanches borde d'ailleurs le côté ouest de la route de Georgeville à l'entrée du village lorsqu'on arrive de Magog.

Le jardin des Pionniers

Au centre du village, le long de la rue principale, la Georgeville Historical Society entretient le jardin des Pionniers. Il s'agit d'un petit clos dans lequel on a repiqué l'essentiel des plantes et des herbes cultivées par les premiers colons.

L'une des anciennes églises de Georgeville transformée en habitation.

Le cimetière

À l'entrée de Georgeville, en venant de Magog, on remarque un petit cimetière ceinturé par un muret. Celui-ci est fait de grands galets assemblés à sec dont la couleur ardoise contraste avec le blanc des bouleaux et des pierres tombales.

Les églises

Deux églises conservent leur fonction d'origine. L'église unie, érigée en 1891, se distingue par une tour d'angle alors que l'église anglicane St. George, construite en 1866, comporte une tour latérale. Une troisième église a été transformée en maison.

L'église anglicane St. George impressionne par la sobriété de son décor et la qualité de ses revêtements muraux en bois.

Au carrefour d'anciennes routes maritimes et terrestres, dans un endroit retiré à mi-pente, se trouve l'Auberge Georgeville, qui perpétue une tradition locale en offrant le gîte et le couvert aux voyageurs et aux touristes.

Avec son cadre naturel reposant,
Georgeville invite à la rêverie et,
pourquoi pas, à la lecture.

La croisée des routes et, au centre,
un ancien magasin de 1899.

Presque en face de Georgeville,
un autre endroit calme et propice au repos,
l'abbaye de Saint-Benoît-du-Lac.

« Le peuplement des rives du lac avait commencé en 1797, à laquelle date le Capitaine Moses Copp prit résidence à l'endroit où se trouve actuellement Georgeville. Au nord et au sud de son emplacement, Elijah Baird et Jeremiah Lord s'étaient installés avant l'arrivée de Copp, qui provenait du canton de Bolton, où il avait été colon. C'étaient là les seules brèches dans la vaste forêt qui s'étendait sur la rive est du lac Memphrémagog. La situation avantageuse de cet établissement de colonisation, sur la rive du lac, attira rapidement un nombre considérable de personnes des environs, et un village se forma sur les lieux, autour duquel gravitèrent, à plusieurs milles de part et d'autre du lac, les premières activités commerciales. Un traversier fut installé par le capitaine Copp pour établir un lien avec la rive ouest du lac, circonstance qui eut pour effet de donner le nom de Copp's Ferry à cet endroit, avant l'adoption de Georgeville en 1822. »

H. Belden & Co., 1881

Un petit chalet de villégiature typique.

ADRESSE UTILE

H **L'Auberge Georgeville** et sa fine cuisine estrienne.
Tél.: 819-843-8683

> # North Hatley

Un lieu de villégiature renommé

et un carrefour naturel

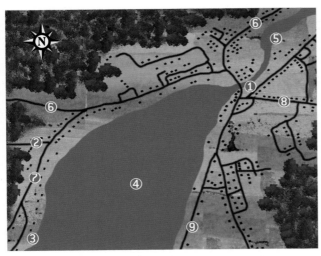

1. Noyau commercial
2. Auberge Hatley
3. Manoir Hovey
4. Lac Massawippi
5. Rivière Massawippi
6. Route 108
7. Chemin Hovey
8. Chemin de Sherbrooke
9. Chemin du Lac

Il est des endroits si rares et si comblés par la nature qu'ils rendent jaloux. North Hatley (SP) semble être de ceux-là. Les premiers colonisateurs américains de ce lieu privilégié l'avaient-ils compris? Sans doute, car point n'était besoin d'être un grand savant pour découvrir immédiatement les avantages d'un site aussi riche et vouloir s'y établir.

Une belle nappe d'eau, le lac Massawippi, s'étend sur plus de 12 kilomètres de longueur sur une moyenne d'un kilomètre de largeur. Il sépare le canton de Hatley en deux : à l'ouest, la région de Magog, plutôt accidentée, à l'est, les douces collines accueillantes entourant Massawippi et Hatley-Est. Au nord, une belle vallée aux pentes légèrement inclinées porte en son centre le sillon de la rivière Massawippi. Des fermes s'étalent de part et d'autre de son parcours. Le village est blotti au point où le lac et la rivière se rencontrent. Les rues Main, Mill et Rivière y occupent les quelques replats disponibles. Le prolongement sud-est forme l'essentiel du noyau urbain avec ses commerces, ses églises et ses édifices publics disposés autour des rues Main, School et Sherbrooke. Les grandes résidences de villégiature se dressent ici et là, entourées d'arbres, et occupent chaque niveau du relief villageois. Du côté ouest du lac, elles s'étagent sur une pente abrupte où, orientées vers l'est, elles forment, tout au long du chemin Magog, un impressionnant défilé de grandes maisons de style.

Le canton de Hatley avait été délimité en 1792 et concédé à Henry Cull, un marchand de la rue Saint-Pierre à Québec, à Ebenezer Hovey, un Américain du Connecticut, ainsi qu'à leurs associés. En 1795, le canton fut subdivisé en lots et les premiers établissements apparurent dans les années

suivantes. Jouissant d'une position favorable par rapport aux réseaux de communication, le village était destiné à un développement certain. Le long de la rive est, une première route terrestre aida d'abord à son départ. Mais le village prit son essor avec la mise en place par la *Massawippi Valley Railway Company*, en 1870, d'une ligne de chemin de fer aussitôt exploitée par la *Connecticut and Passumpsic Railway Company*. Cette ligne reliant Lennoxville à Stanstead Jonction offrait par le jeu des correspondances ferroviaires outre-frontière un lien direct avec Boston et tous les ports américains de la Nouvelle-Angleterre. Déjà recherché des touristes américains, North Hatley vit le nombre d'estivants augmenter rapidement. Cette popularité amena la mise en circulation de bateaux à vapeur sur le lac dès 1870, la construction de nombreux hôtels et de maisons de chambre, la création du North Hatley Canoe Club vers 1890, puis l'ouverture d'un premier club de golf en 1899. Cette tradition s'est maintenue tout au cours du XXe siècle. Aujourd'hui, les attraits du site, les installations touristiques et la grande tradition des auberges font de North Hatley un endroit couru.

Le noyau commercial

Quelques édifices du noyau commercial ancien ont été conservés. Mentionnons notamment le Pilsen Pub & Restaurant (une ancienne boutique d'attelages de chevaux, 55, rue Main), le magasin Le Baron (105, rue Main), un bâtiment en brique de 1897 et le Pomegranate (617, rue Sherbrooke), l'un des édifices les plus anciens de North Hatley, aujourd'hui transformé en boutique.

Les églises

Quatre églises témoignent de la coexistence de plusieurs confessions religieuses : l'église anglicane St. Barnabas érigée en 1894 (640, rue Sherbrooke), l'église unitarienne-universaliste construite en 1895 (35, rue Gagnon),

Le Pilsen Pub & Restaurant a été construit vers 1900 par Albert Hamm qui y avait aménagé une boutique de carrossier. Par la suite, le bâtiment fut transformé en quincaillerie ; aujourd'hui, il est converti en restaurant.

l'église baptiste (près de Capelton et du chemin Magog) aménagée dans la première école du village en 1908 et l'église catholique Sainte-Élizabeth qui date de 1912.

Les parcs

Trois parcs occupent la partie centrale du village : le terrain situé en face du magasin J.B. Le Baron, le parc Dreamland en bordure du lac qui occupe une partie de l'ancienne propriété Wadleigh et le Christmas Tree Park entre les rues Main et River.

Les grandes résidences de villégiature

C'est à la fin du XIXᵉ siècle que les premières familles, la plupart venant des États-Unis, passent la saison estivale à North Hatley. Elles construisent de belles maisons d'été, inspirées de l'architecture vernaculaire américaine. Juchées sur les collines entourant le lac, ces constructions dominent le paysage.

Les hôtels

Les plus importants sont l'auberge Hatley (325, Virgin Hill), anciennement le site de la maison de la famille Holt (les Holt de Holt Renfrew…), et le manoir Hovey (575, chemin Hovey), autrefois la propriété de Harry Atkinson, d'Atlanta, en Géorgie.

L'ancienne gare

Le bâtiment de l'ancienne gare de chemin de fer de North Hatley est un exemple réussi de recyclage, car il abrite aujourd'hui l'hôtel de ville. Les voies de chemin de fer, devenues inutiles, ont été enlevées.

Les maisons de villégiature de North Hatley sont généralement coquettes et très bien entretenues.

Avec ses abords agréables, la rivière Massawippi se prête à merveille aux diverses installations nautiques.

Les collines situées à proximité du village convergent vers la rivière Massawippi et se rejoignent dans une cuvette occupée par le centre du village.

De grands hôtels, ainsi que de nombreux chalets et résidences perchés sur les collines encerclant le lac bénéficient d'une vue imprenable sur le site.

Voulant imiter la maison de George Washington, Mount Vernon, Harry Atkinson, d'Atlanta, en Géorgie, a fait construire une grande résidence sur les bords du lac. Transformée plus tard en auberge, la résidence tient son nom de l'un des premiers pionniers, Ebenezer Hovey.

Certaines résidences, dont l'architecture est inspirée de styles américains, occupent de grands terrains bien boisés qui surplombent le lac.

Construite en 1910,
la maison York servit
de presbytère à l'église
St. Barnabas. Elle fut
vendue par la suite et
transformée en
auberge.

Les visiteurs trouvent
à North Hatley
l'occasion d'explorer les
bords du lac tout en
pratiquant les sports
nautiques.

Le lac Massawippi

«... le canton de Hatley, dans lequel se trouve le lac Massawippi. Ce canton
a une surface irrégulière, montueuse en quelques endroits, et la qualité du sol est
très variée. Il est arrosé par plusieurs rivières ou courants, qui en serpentant à travers les terres cultivées font marcher des moulins à grain et à scie. Le lac ci-dessus
mentionné s'étend diagonalement du 4e rang au 9e, et peut avoir 8 milles de
longueur sur environ 1 mille de largeur; ses bords sont superbes et pittoresques et
présentent des paysages très enchanteurs... »

Stanislas Drapeau, 1863

Ayant appartenu autrefois à la famille Holt, de Montréal, cette ancienne résidence d'été est devenue une auberge très réputée. Elle occupe un beau site qui surplombe le lac, offrant une vue incomparable sur les environs.

On trouve à North Hatley plusieurs boutiques, tel le Pomegranate, un bâtiment construit vers 1870 comme magasin général.

ADRESSES UTILES

Auberge Hatley, 325, Virgin. Ancienne résidence d'été de la famille Holt, rénovée et recyclée en auberge de luxe.
Tél. : 819-842-2451

Manoir Hovey, 575, chemin Hovey. Site de l'ancienne maison privée de Harry Atkinson, d'Atlanta, en Géorgie ; recyclé en auberge.
Tél. : 819-842-2421

⟩ Hatley

Un petit coin de la Nouvelle-Angleterre

dans le canton de Hatley

1. *Common*
2. Église méthodiste
3. Rubicon Farm
4. Route 208
5. Chemin de Barnston

En présentant Hatley comme un coquet petit village entouré de douces collines verdoyantes, les auteurs de l'atlas des Cantons-de-l'Est de 1882 savaient-ils que leur annonce serait aussi vraie au XXᵉ siècle ? À quelques kilomètres au sud de North Hatley, un peu à l'est des rives du lac Massawippi, ce joli village encore intact niche dans une belle contrée fertile. Venus s'établir au tournant du XIXᵉ siècle, des Américains eurent le flair de préférer ce côté du lac au côté ouest, moins propice à l'agriculture.

Même si la concession des lots n'avait pas débuté officiellement, les Américains commencèrent à peupler cette partie du canton de Hatley dès 1795. Venant du New Hampshire et du Vermont, ils furent frappés par la grande qualité des terres de la région et s'empressèrent, paraît-il, de les occuper. Malgré une nette prédominance de l'agriculture, Hatley a quand même accueilli dès ses débuts une distillerie à whisky, un hôtel, quelques commerces et deux raffineries de potasse. L'une de ces raffineries appartenait à Robert Vincent, qui était propriétaire d'un magasin général où on trouvait aussi un bureau de poste.

Curieusement, la première église fut construite en 1818 à environ deux kilomètres au nord du village actuel, sous les auspices du pasteur Charles Stewart, de l'église d'Angleterre. Cet emplacement ne faisant pas l'unanimité, l'actuelle église St. James, de confession anglicane, fut construite en 1828 dans le centre de l'agglomération. Le nouveau site apporta satisfaction aux habitants. Dès le milieu du XIXᵉ siècle, le village adopta ce caractère intime qu'il a toujours. Le nombre de maisons se maintint au-dessous de la cinquantaine. Une modeste activité commerciale soutenue par quelques magasins et boutiques suffit aux besoins d'une population qui ne dépassait pas 250 personnes en 1881. À la fin du XIXᵉ siècle, deux voisins, North Hatley et Stanstead, devinrent les deux principaux pôles de services du canton.

Quatre ans après la construction de l'église St. James, on construisit à quelques mètres de celle-ci une académie. Elle fut bâtie à l'extrémité sud du village,

sur une sorte de place publique, le *Common,* qui encore aujourd'hui étonne. Cette façon d'aménager l'espace est courante en Nouvelle-Angleterre : elle consiste à réserver sur le territoire municipal un grand espace public central affecté à plusieurs vocations : administratives, institutionnelles ou sportives. On trouve précisément un équivalent à Hatley. Un chemin en U prenant appui sur la rue principale circonscrit un grand parterre gazonné. Ce parterre, en plus d'être esthétique, servait notamment aux jeux de balle. Le chemin conduit à l'église anglicane, à l'académie Charleston et à un cimetière. Là comme ailleurs, de beaux arbres jalonnent la rue principale. Ils ont été plantés par les membres de la milice qui s'y entraîna lors de la guerre de 1812 et de la rébellion de 1837. À l'automne, les érables, particulièrement nombreux, donnent à ce village des tonalités saisissantes. Le long de la rue principale ombragée par un baldaquin de feuilles, les maisons de ferme alternent harmonieusement avec des cottages et des résidences d'architecture vernaculaire américaine. Deux chemins relient le village à la campagne environnante : la rue Massawippi à l'ouest et le chemin Meadow à l'est. Décalés l'un par rapport à l'autre, ils aboutissent à deux endroits différents sur l'axe principal, de sorte que leur présence dans le paysage villageois n'en est que plus discrète.

À quelques kilomètres à peine de North Hatley, lieu passablement fréquenté par les touristes, le village de Hatley a réussi tout au long de son histoire à rester discret et à échapper aux grands courants modernisateurs. Ce village d'allure Nouvelle-Angleterre à l'architecture harmonieuse où le paysage n'a pas changé est dans la région de l'Estrie un exemple remarquable de conservation et un lieu qui mérite d'être préservé pour les générations futures.

Le village de Hatley s'articule de part et d'autre d'un axe rectiligne sur lequel aboutissent quelques chemins perpendiculaires. Du côté ouest, le relief est peu accidenté alors que du côté est, il est montueux.

se trouve à l'extrémité nord du village, au bas d'une grande colline rocheuse couverte de taillis, de bouquets d'arbres et de pâturages.

Rubicon Farm

La terre sur laquelle est construite cette maison fut concédée à Joel Hall Ives, un associé d'Ebenezer Hovey. Vers 1800, Jabez et Israel Hall s'établirent sur ce lot et le lot adjacent du côté nord; cette ferme est donc l'une des plus anciennes de Hatley. En 1907, après diverses transactions, elle passa aux mains d'un Américain de San Francisco, Preston Hurlbut, qui agrandit de part et d'autre le corps principal d'origine. C'est à lui qu'on doit l'appellation de ferme Rubicon. La maison et les bâtiments, de même que la grange rouge située de l'autre côté de la rue appartiennent aujourd'hui à Lucy Brus et à Howard Peterson.

Le common est un espace public largement dégagé, en forme de U.

Au centre du village, l'église méthodiste s'insère discrètement dans un alignement de résidences.

Le *Common*

Dans la courbe élégante de ce bel espace public largement dégagé, il y a l'église anglicane St. James (MH), construite en 1827, et l'académie Charleston (1830), avec en arrière-plan un paysage rural estrien.

L'église méthodiste

L'église méthodiste, construite en 1836, appelée Hatley United Church,

Le corps principal de cette belle maison, surnommée Rubicon Farm, a été doté de deux rallonges à ses deux extrémités par un Américain de San Francisco qui l'a acquise en 1907.

À l'automne, la rue principale, avec ses arbres aux couleurs éclatantes, offre un spectacle saisissant.

L'église anglicane St. James (1827) et l'académie Charleston (1830) se trouvent dans la courbe du Common, dans un environnement parfaitement bien conservé.

À l'est, une grande colline accidentée surplombant le village sert de pâturage aux troupeaux.

En général, les maisons de Hatley comportent un plan rectangulaire et s'élèvent sur un étage et demi. Peintes dans des tons chauds – en brun, beige ou jaune –, elles sont coiffées d'un toit à deux versants droits. Comme recouvrement extérieur, on utilise le déclin ou le bardeau. Les façades sont percées de fenêtres à guillotine disposées symétriquement.

« Environ trois milles à l'est se trouve Hatley Village, très joli ; et avec une population d'environ 250 habitants. Il a une académie et une école de district, des églises épiscopale et méthodiste, magasin, boutiques, et un certain nombre d'excellentes résidences distinguées. La première école du canton était située à un mille d'ici au sud ; et à deux milles au nord la première église fut construite en 1818, grâce aux efforts du révérend Charles (ultérieurement évêque) Stewart, alors en charge d'une mission épiscopale ici. La vieille église est maintenant utilisée par les adventistes. »

H. Belden & Co., 1881

❯ Massawippi

Petit village de fin de XIXe siècle réduit à un hameau

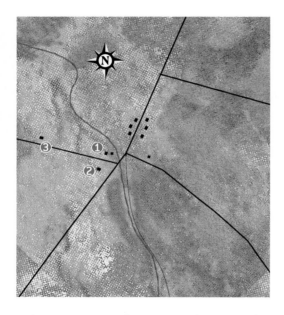

1. Église unie
2. Salle publique
3. Route 208

Vous avez dit Massawippi? On connaît bien le toponyme Massawippi, qui s'applique à un lac, et même à une rivière, mais ce même terme s'appliquant à un petit noyau bâti?

Effectivement, si vous sillonnez la région immédiatement à l'est du lac Massawippi, il vous faudra être très attentif pour pouvoir apprécier dans l'espace le petit hameau de Massawippi. Fondé vers 1800 par des loyalistes, ce hameau adopte une configuration quelque peu éclatée, à mi-chemin entre les villages de Hatley et de Ayer's Cliff. C'est que le hameau se répartit sur une petite portion de territoire en bordure de la route 208, de la route 143 (qui réunit Stanstead à Sherbrooke), et du petit chemin Boy.

En 1869, le village comporte une église, un bureau de poste, trois magasins, un débit de boisson, quelques moulins et ateliers mécaniques ainsi qu'une trentaine de maisons. Une vingtaine d'années plus tard, le village s'est avantageusement développé par rapport aux villages avoisinants, soit Katevale, Ayer's Flat, Hatley, et North Hatley. En termes de population, il vient en 1881 au deuxième rang après North Hatley. Pourtant, aujourd'hui, peu subsiste de cette période de prospérité. Ayer's Cliff a pris les devants en devenant le petit centre régional de services par sa situation enviable au carrefour des principales routes au sud du lac Massawippi. Quant à North Hatley, le développement du tourisme au tournant du siècle lui assure un développement résidentiel de qualité qui repose sur la fortune de riches villégiateurs en provenance de la Nouvelle-Angleterre.

Massawippi n'est donc plus aujourd'hui qu'un petit hameau dont il subsiste principalement quelques maisons et un petit noyau institutionnel dans un site remarquable le long d'un axe rectiligne bordé d'arbres.

Le village s'étire le long
d'un axe rectiligne à
l'est du lac Massawippi.

Quelques maisons
subsistent encore et
témoignent des débuts
de l'implantation du
hameau dans la
première moitié
du XIXe siècle.

L'église unie

Construite en 1861 par les membres de plusieurs dénominations protestantes, l'église unie desservait à la fin du XIXe siècle les communautés épiscopalienne, méthodiste, universaliste et baptiste. Toute en bois et peinte en blanc, elle s'inspire de modèles retrouvés aux États-Unis.

Le cimetière

À gauche de l'église, l'entrée du cimetière, étonnamment constituée de larges pierres plates semblables à de grandes ardoises, ouvre sur un bel espace boisé où dominent de grands pins.

L'ancienne salle publique

Juste en face de l'église, l'ancienne salle publique encore utilisée aujourd'hui à des fins communautaires. C'est un gros bâtiment de bois, peint en blanc, à toit à deux versants, comportant en façade avant un important corps en saillie.

Le chemin principal, bordé d'arbres et l'église unie.

L'entrée du cimetière.

Petite maison rurale
en bois avec, en
arrière-plan, la
grande nappe du
lac Massawippi.

Certains
aménagements de
ferme sont
particulièrement
soignés.

L'ancienne
salle publique,
en retrait
du chemin
principal.

▸ Ways Mills

Dans un vallon discret, un tout petit village
avec sa vingtaine de maisons, ses églises protestantes
et ses trois ponts

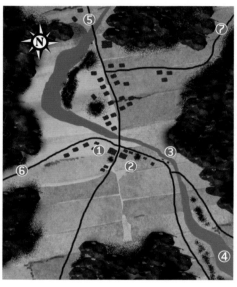

1. Église unie
2. Église anglicane
3. Site de la maison Way
4. Rivière Niger
5. Vers la route 141
6. Chemin Standish
7. Chemin Hunter

Situé à quelques kilomètres de la route 141 reliant Ayer's Cliff et Barnston, Ways Mills n'a rien pour attirer l'attention de l'automobiliste qui furète dans ses guides de voyage. Complètement à l'écart de la route principale, le village n'a pas de grand monument qui le distingue, ni non plus d'installations touristiques. Des endroits pour loger ? Un seul gîte. S'y rendre n'est pas évident : c'est à peine si vous trouverez les panneaux indicateurs requis. Ternes, mal localisés, ils sont comme perdus sur le bord du chemin et doivent bien souvent passer inaperçus. À partir de la route 141, il faut se diriger vers le sud, en empruntant quelques chemins croches, pour découvrir Ways Mills, un tout petit village d'allure très modeste, à l'architecture relativement récente. Bien conservé, il s'enorgueillit surtout d'avoir gardé sa trame originale.

Comme bien d'autres agglomérations de la région, Ways Mills s'est développée durant une période d'activité industrielle alors que les colons tiraient parti de toutes les ressources du relief et de la nature. La région se prêtait à l'exploitation forestière, à l'agriculture et à l'élevage. Les premiers arrivants comprirent sans doute au premier coup d'œil les qualités du site et l'intérêt que présentait le cours d'eau. Une petite vallée offrait un abri sûr aux habitations et les collines environnantes, suffisamment arrondies, permettaient d'envisager la culture. Au creux de ce berceau naturel, la rivière comporte à quelques endroits des dénivellations importantes. Peut-être sont-elles liées à des aménagements anciens.

Le site fut occupé en 1808 par les familles Way et Hollister. Dans les années 1830, il y avait un magasin, un moulin à moudre, à scie et à carder, une manufacture de rouets et de métiers, et quelques maisons. En 1882, le

groupement initial d'habitations se transforme en un petit hameau de 75 habitants dont l'activité gravite autour de moulins, d'une usine de tissage de la
laine et de fabrication de voitures. Son nom lui vient peut-être de L. S. Way,
un Américain immigré du Vermont qui, à son arrivée en 1844, s'était lancé
dans la fabrication de tweeds et de flanelles.

Le centre du village se greffe à l'intersection de deux axes routiers, l'un
orienté nord-sud, l'autre est-ouest. À ce croisement, deux petites églises en
bois, telles deux sœurs complices, se dressent fièrement de part et d'autre du
petit ruisseau Ball. Du sud, la petite rivière Niger, après avoir dévalé une suite
de strates rocheuses, vient lorgner de ce côté en ligne droite puis, dessinant
une grande courbe, repasse sous la route principale, descend vers le nord et
s'éloigne paresseusement. Dans un territoire de moins d'un kilomètre de
longueur, trois ponts se succèdent et font la preuve du lien intense unissant
village et rivière.

Calme et retiré, le petit village de Ways Mills garantit aux visiteurs une
tranquillité complète. Encore faut-il pouvoir s'y loger. Le seul gîte, L'Eau-
Vive, occupe l'ancien emplacement de la famille Way. Il se trouve dans un
site magnifique, au point de rencontre de la rivière Niger et du chemin
Madore.

Estrie ▶ Ways Mills

Deux sœurs se font face

L'histoire religieuse de Ways Mills est un autre exemple de coexistence paisible entre gens appartenant à différentes confessions religieuses. À l'extrémité sud du village, deux églises se font face à peu de distance : l'église unie et l'église de l'Épiphanie.

En 1881, des gens de quatre confessions religieuses, des baptistes, des méthodistes et des fidèles de deux branches de l'église adventiste se réunissent sous la dénomination commune d'église unie de Ways Mills et amassent par souscription la somme nécessaire à la construction d'un temple. La même année, la construction est terminée.

La communauté anglicane de Ways Mills n'a pas pour autant de temple. Depuis 1874, elle est associée à celle de Barnston et dépend

L'église unie et l'église de l'Épiphanie se font face.

d'un missionnaire itinérant rattaché à Coaticook. Les offices religieux ont lieu dans des écoles ou des maisons avoisinant les localités. En 1881, lors de la construction de l'église unie, les communautés anglicanes peuvent temporairement venir y célébrer leurs offices religieux. En 1887, l'évêché de

Québec accorde les fonds nécessaires à la construction d'un temple qui sera terminé en 1888. Cette église en bois est de style néo-gothique.

Le site de la famille Way

Située dans un site enchanteur à la rencontre de la rivière Niger et du chemin Madore, ce site aurait appartenu à l'un des premiers fondateurs du village. On y trouve aujourd'hui une maison convertie en gîte du passant.

Cette maison se dresse sur le site d'un ancien moulin ayant appartenu aux Way, une famille fondatrice.

Estrie ▸ Ways Mills

Dissimulé au fond d'un vallon, Ways Mills, un petit village au milieu de collines verdoyantes.

L'hiver, au travers des branches dénudées des arbres, apparaît l'alignement de la rue principale.

Le parcours sinueux de la rivière Niger enveloppe littéralement le village.

Un silo, témoin des travaux agricoles d'autrefois sur les deux rives de la rivière Niger.

Au centre du village, l'ancien poste de pompiers. La tour servait à suspendre les boyaux pour les faire sécher.

ADRESSE UTILE

Gîte L'Eau-Vive, chemin Madore. Dans un lieu pittoresque traversé par la rivière, un gîte sur l'emplacement de l'ancien moulin Way, établi par l'une des premières familles de pionniers. Tél. : 819-838-5631

⟩ Ulverton

Un brin de campagne anglaise
dans la vallée de la rivière Saint-François

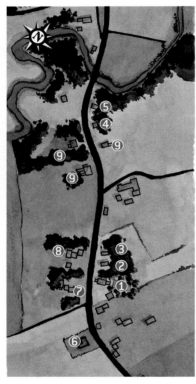

1. Église unie
2. « Church Hall »
3. Hôtel de ville
4. Presbytère
5. Magasin Thompson
6. École Modèle
7. Maison Wadleigh
8. Maison Miller
9. Domaine Reed

Aujourd'hui reliée à Sherbrooke par la route 55, Ulverton l'était autrefois par la route 143, dont le parcours épouse sensiblement celui de la rivière Saint-François. Tout au long de la route, le voyageur sera frappé par la beauté de la vallée de la Saint-François et de la rivière du même nom. Maisons de fermes perchées à flanc de coteau, implantations humaines nichant dans un creux, chemins cahotant d'une colline à l'autre et percées soudaines sur la rivière Saint-François se succèdent dans un panorama varié. Aux limites des régions de la Mauricie – Bois-Francs et de l'Estrie, l'architecture hésite entre les caractéristiques de la vallée du Saint-Laurent et celles des Cantons-de-l'Est. Une transition dans les paysages culturels se produit en quelques kilomètres. De petites agglomérations comme Melbourne, Trenholm et Ulverton occupent la frange extrême de la colonisation anglo-saxonne survenue au début du XIXe siècle. Parmi celles-ci, Ulverton se distingue par l'originalité de son architecture, la beauté paisible de son implantation et l'état de conservation remarquable de ses éléments d'origine.

Petit regroupement d'habitations de part et d'autre de la route 143, tenant plus du hameau que du village, Ulverton est constitué de bâtiments divers d'une qualité exceptionnelle qui forment un ruban relativement court sur environ un kilomètre. Du côté ouest de la route, on remarque une ancienne école, quelques belles grandes demeures d'esprit victorien, avec de magnifiques constructions secondaires. Du côté est, quelques bâtiments religieux et un édifice municipal leur font face. Un beau cimetière, en retrait derrière l'église, s'étale en pente en direction des vallons environnants. De grandes dalles forment le court chemin en gradin qui débute à son entrée.

Le paysage environnant, tant sylvicole que rural, est formé de douces collines arrondies, de bosquets, de clos et de champs cultivés jouxtant les lisières de la forêt. Ce paysage au relief ondulé a été formé au moment de la déglaciation

de la région, par la fonte tardive de culots de glace enfouis dans les sédiments. Ce phénomène propre au complexe morainique des hautes terres s'est produit il y a 12 000 ans environ.

Ce sont des Américains qui ont d'abord peuplé Ulverton. William Cross arriva en 1802 de Frelighsburg, suivi vers 1812 de Webber Reed, originaire du Massachusetts, puis de Simon Stevens, né dans le Vermont. Entre 1815 et 1820, des Britanniques s'établirent : George Alexander, pilote dans la marine anglaise, John Wadleigh, commerçant, et William Harriman, un tailleur qui venait du Yorkshire. Puis ce fut le tour des Écossais : Philip Lyster qui arriva en 1820, Hugh Bogie en 1828, Edmund Patterson qui s'installa vers 1830, et Dennis Mooney vers 1840.

Quelques grandes résidences de style, maisons, bâtiments agricoles et publics massés de part et d'autre d'une route sinueuse dans un paysage vallonné.

Estrie ▷ Ulverton

Le recouvrement de la toiture en ardoise empêchait l'eau de pluie de se souiller. Dans la cour, une remise dont la qualité de construction devait être supérieure à celle de bien des maisons de l'époque repose sur des fondations en granit.

L'église unie

À cette église érigée en 1842 on ajouta une sacristie et on construisit des fondations en pierre en 1885. Le clocher date de 1910.

Le « Church Hall » de l'église unie

Cette ancienne église de Lisgar, construite en 1883, a été déménagée à Ulverton. Après avoir été transformée en salle publique, elle a été cédée en 1965 à Frank Riff et a servi d'entrepôt.

D'aspect sévère, l'école Modèle d'Ulverton est recouverte d'un beau toit d'ardoise.

L'église unie d'Ulverton.

L'école Modèle d'Ulverton

L'école Modèle, érigée sur un button donné par John Wadleigh, est un bel édifice en brique au toit recouvert d'ardoise. De grandes fenêtres à guillotine rythment ses façades latérales. Elle aurait été agrandie à deux reprises.

La maison Wadleigh

Cette grande maison de style Second Empire a été construite en 1885 pour John Wadleigh, marchand et agriculteur. De beaux bâtiments secondaires et un enclos pour chevaux la complètent.

La maison James-Miller

Construite vers 1888 pour le marchand James Miller, dans un style inspiré du gothique, cette belle résidence spacieuse dotée d'une cuisine d'été domine avec la maison Wadleigh le côté ouest de la rue principale. Un système de canalisation des toits permettait de recueillir l'eau de pluie dans des citernes domestiques.

L'hôtel de ville

Construit en 1866, l'édifice de l'hôtel de ville a été déménagé sur le site actuel en 1888.

La maison Reed

Cette maison de 1836, dont le style architectural est fortement influencé par l'architecture américaine, frappe par l'ampleur de ses deux galeries superposées recouvertes d'un large avant-toit. Son nom provient de l'un des premiers colons d'Ulverton, Webber Reed, un Américain originaire du Massachusetts qui arriva dans le canton en 1812.

En face de la maison, des bâtiments agricoles situés de l'autre côté de la route font partie du domaine familial.

L'ancien magasin Thompson

Au tournant du siècle, un dénommé Thompson exploita ce magasin général complété par une boutique de modiste. Il ferma ses portes en 1920.

Le site de l'église congrégationaliste

Ce site était autrefois occupé par l'église congrégationaliste et par sa sacristie ainsi que par un magasin.

De style Second Empire, la maison Wadleigh a été construite en 1885.

Le moulin de la rivière Ulverton (MH)

Le moulin, situé un peu à l'écart dans le sixième rang, fut construit par John Porter pour William Dunberley, un émigré d'Angleterre. Au début du XIXᵉ siècle, sous le nom de Ulverton Woollen Mills, on y traitait la laine en provenance de la province mais aussi de la Nouvelle-Zélande. Ce traitement requiert plusieurs opérations dont le lavage, la teinture, le cardage et le filage. On fabriquait des couvertures, des châles, des tissus et des flanelles. Le nom actuel vient de Joseph Blanchette, propriétaire du moulin entre 1906 et 1939.

Il est formé d'une grosse structure en charpente claire recouverte de bardeau à l'extérieur. Elle repose sur un soubassement en pierre, peut-être un vestige du premier moulin construit sur le site au milieu du XIXᵉ siècle. À proximité, un magnifique pont couvert enjambe la rivière.

Le moulin d'Ulverton, construit en 1868.

La maison James-Miller, une grande résidence d'inspiration néo-gothique.

Tout à côté du moulin, un pont couvert enjambe la rivière Ulverton.

Avec sa grande colonnade d'entrée, cette maison du domaine Reed évoque les résidences américaines de style géorgien.

Une autre maison du domaine Reed.

Les bâtiments agricoles du domaine Reed.

Détails d'aménagement du cimetière : un mur de soutènement en pierre sèche, une allée d'accès formée de grandes dalles et un érable majestueux à l'entrée créent un charme incomparable.

Montérégie

De toutes les régions du Québec dignes d'intérêt sur le plan culturel, la Montérégie est peut-être la plus sous-estimée. Son image est un peu ternie à cause de sa proximité par rapport à Montréal, à cause de l'urbanisation intense de sa rive sud – surtout entre Beauharnois et Varennes –, mais aussi à cause des grands axes de circulation qui la traversent. Pourtant, elle reste l'une des régions les plus variées du Québec du point de vue de la nature, comme du point de vue du patrimoine historique.

À l'ouest, la Montérégie commence là où le fleuve Saint-Laurent franchit la frontière américaine. À l'est, elle se termine au lac Memphrémagog. Sa morphologie naturelle en est une de plaines qui se présentent en gradins d'ouest en est. À l'ouest, le territoire fait partie intégrante des basses terres du Saint-Laurent. De part et d'autre de la rivière Châteauguay, on découvre un paysage de plaines uniformes, avec par endroits de très faibles ondulations. Ces plaines sont traversées par de grandes voies de circulation est-ouest et nord-ouest – sud-est. Sauf pour la Châteauguay, l'absence d'obstacles a permis de tracer dans ce territoire aux riches terres agricoles des voies étonnamment rectilignes. Dewitville, un ancien village devenu hameau, est représentatif de ces petites agglomérations issues d'une colonisation d'abord loyaliste, puis canadienne-française, éparpillées dans la campagne ou établies en bordure de la rivière.

Un peu plus à l'est, le Richelieu, autrefois un axe majeur de circulation, traverse le territoire. Cette rivière, qui se jette dans le Saint-Laurent, est depuis longtemps la principale voie

À Frelighsburg,
en fin de journée.

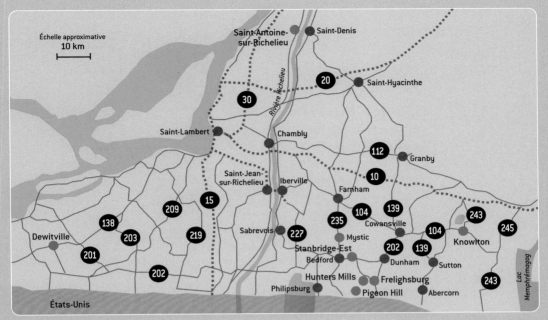

de communication et d'échange des populations vivant le long de ses rives. Sur le territoire, de très anciennes seigneuries ont favorisé l'éclosion de riches paroisses dont les habitants s'adonnaient au commerce puisque le Richelieu était un cours navigable. Aujourd'hui, comme ces localités sont à proximité de l'autoroute menant à Montréal, plusieurs se sont transformées en banlieues éloignées. Ainsi, il ne reste guère de villages dans la vallée du Richelieu. Il faut aller plus au nord, en direction de Sorel, pour retrouver des entités qui ont conservé ce statut, ainsi que leur structure traditionnelle : Saint-Antoine, un peu à l'écart des voies terrestres, est l'un de ceux-là.

Plus à l'est, le relief change : aussitôt après le lac Champlain, voici une autre région. À cet endroit, commence une zone de transition entre la plaine du Saint-Laurent et les premiers contreforts de montagnes ; les basses terres appalachiennes présentent un relief qui s'élève graduellement. Il s'agit d'une grande plaine ondulée dont l'élévation change sensiblement sur quelques kilomètres de distance en passant graduellement de 60 à 150 mètres d'altitude. Mystic, Stanbridge et Pigeon Hill, foyers loyalistes à vocation agricole et industrielle dans le cas des deux premiers, sont les villages qu'on remarque dans ce nouveau coin de pays traditionnellement partie des comtés de Missisquoi et de Brome.

Quelques kilomètres plus loin se trouve l'ancien bourg de Frelighsburg dans un pays de collines plus accidenté. Déjà, certaines proéminences naturelles ne se prêtent plus à

l'agriculture. Quant à Hunters Mills, on comprend que ce petit hameau ait autrefois tiré avantage d'une forte dénivellation de la rivière aux Brochets où des moulins fonctionnaient. Le relief poursuit sa progression en hauteur, car la Montérégie semble s'approprier effrontément des traits que plusieurs considèrent appartenir à la région de l'Estrie. La variété de la nature, des paysages et des agglomérations depuis le Saint-Laurent ne semble pas lui suffire, car elle inclut aussi les premiers sommets des Appalaches. De Dunham jusqu'au lac Memphrémagog, la région des monts Sutton – un prolongement des montagnes Vertes américaines – renferme aussi le magnifique lac Brome, qui annonce les plans d'eau plus vastes de l'Estrie. Avec ses 967 mètres, le mont Sutton est le sommet le plus élevé de la région. Quel décor admirable pour ces petits villages ! Une visite en Montérégie se termine par Knowlton, une petite agglomération située dans un magnifique cadre naturel dominé par les premières montagnes appalachiennes.

> Dewitville

Discret petit hameau du XIXe au bord
de la rivière Châteauguay

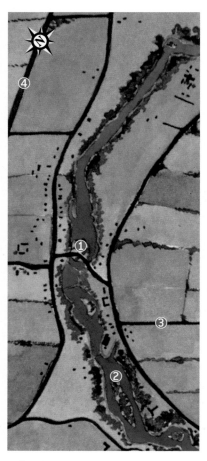

1. Île
2. Rivière Châteauguay
3. Montée de Rockburn
4. Route 138

Quand on quitte Huntingdon par la route 138 en direction de Montréal, on peut voir une rectification de la route effectuée par les services de voirie qui aboutit quelques kilomètres plus loin sur un parcours relativement droit qui permet aux gens pressés d'éviter l'ancien chemin en bordure de la rivière Châteauguay. Cette ancienne voie conduit justement à Dewitville, un petit hameau dont l'implantation inusitée est pleine de charme.

Cette région a commencé à se peupler à la fin du XVIIIe siècle : une poignée de colons venus des États-Unis arrivèrent à partir de 1793 ; une deuxième vague suivit vers 1800. Ces premiers arrivants y transformaient le bois qu'ils expédiaient sous forme de potasse à Montréal par la rivière Châteauguay. Ils eurent tôt fait de dégarnir les forêts environnantes, découvrant ainsi le relief de la région : de grands plats alternant ici et là avec de légères ondulations. Lors de l'invasion américaine de 1812, motivés par leur fidélité à leur pays d'origine, la plupart d'entre eux décidèrent de refranchir la frontière vers le sud. Ils ne laissèrent donc pratiquement pas de traces dans la région.

Suivit à partir de 1815 un contingent d'immigrés venant des îles Britanniques. Écossais pour la plupart, les nouveaux arrivants colonisèrent toute la région située entre Sainte-Martine et Dewitville. Quatre familles s'établirent sur le site actuel, dont les Dewitt. En 1826, 57 p. 100 des colons du comté de Huntingdon étaient anglo-saxons. Mais un changement profond se préparait : le grand déferlement de la colonisation canadienne-française, ce qui eut pour effet de chasser inopinément de la région bon nombre des arrivants à peine installés. D'où cette observation de Stanislas Drapeau en 1863 à propos d'une majorité canadienne-française : « À 6 milles à l'est de la paroisse de Saint-Joseph, dans le même

canton de Godmanchester sur la rivière Châteauguay se trouve établi un petit village, de 300 âmes, communément appelé Dewittville, composé de Canadiens et autres origines. »

La formation de Dewitville résulte du peuplement de la plaine riveraine de la rivière Châteauguay qui, au début du XIXe siècle, amena la création de deux voies de communication. Là où un îlot ne semblait être destiné à aucun usage, si ce n'est celui d'abriter une nature agréable, on a construit deux ponts qui enjambent la rivière et de ce fait relient les deux routes en bordure. L'endroit se développa et forma un petit village dès le début du XIXe siècle. L'architecture est typique des régions de colonisation canadienne-française. En effet, les deux vagues de colons anglo-saxons ayant été englouties par l'arrivée massive des Canadiens français, elles n'ont pratiquement pas laissé d'empreintes significatives.

L'île et ses ponts

Dewitville est un lieu simple qui inspire le calme et la douceur. Nature et
architecture se fondent harmonieusement. Il est agréable de se rendre à
pied dans l'île ; il vaut la peine de
franchir les deux ponts et d'admirer
la Châteauguay suivre tranquille-
ment son cours. De la rivière, dans la
direction sud-est, on aperçoit la
montée Rockburn qui aboutit au village du même nom et mène vers la
région de Covey Hill, renommée
pour ses beaux vergers étalés sur la
colline Covey.

*Cette maisonnette
construite en pièce sur
pièce rappelle
l'architecture modeste
des habitations
des premiers colons qui
s'établirent sur les
bords de la rivière
Châteauguay au
XIXe siècle.*

*Une dépendance de
maison.*

*La campagne
environnante, un relief
faiblement ondulé
voué à l'agriculture.
Ce territoire fait partie
de la région naturelle de
la plaine du
Saint-Laurent.*

Ce chemin pittoresque relie les deux rives de la Châteauguay
à l'île située au centre de la rivière.

La fenêtre anglaise, à guillotine, est habituellement plus large que
la fenêtre française. Elle se compose de deux éléments, un supérieur
et un autre inférieur, qui glissent à la verticale dans leur cadre.

Les maisons en pierre sont l'exception à Dewitville, où on voit
surtout de petites constructions en pièce sur pièce.

› Mystic

À l'ombre des Walbridge

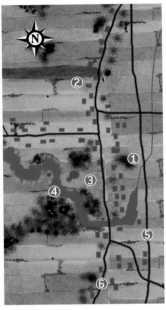

1. Église unie
2. École
3. Grange Walbridge
4. Ruisseau Walbridge
5. Chemin Dutch
6. Chemin de Mystic

À l'écart de la route principale reliant Farnham à Bedford, Mystic apparaît comme un village oublié. Il faut être curieux et attentif pour déceler, derrière un écran de verdure, ce petit hameau que rien n'annonce. Comment expliquer la présence de cette agglomération dans un paysage à première vue sans caractère ? Et d'où vient cette grange rouge octogonale à l'imposante silhouette, l'une des plus vastes et des plus originales à subsister au Québec ? Un retour à la fin du XIXᵉ siècle fait mieux comprendre le paysage actuel.

Les premiers colons de la région, des Américains, n'hésitent pas à quitter leur pays pour prendre possession de terres qui leur sont offertes gratuitement. C'est ainsi qu'au tournant du XIXᵉ siècle, la famille Clapper s'établit définitivement à cet endroit, à l'époque le sixième rang du canton de Stanbridge créé en 1801. Peu de temps après, d'autres colons grossissent les rangs de la petite communauté : afin de cultiver les terres, ils les défrichent. Avec les cendres des arbres brûlés, ils produisent de la potasse qu'ils expédient à Montréal, en passant par Philipsburg.

En 1821, survient un événement en apparence anodin : Salomon Walbridge, de Cambridge dans le Vermont, arrive à Mystic après un difficile périple ponctué de mésaventures sur une route à peine carrossable. Cet homme et sa famille changeront profondément la destinée de Mystic à la fin du XIXᵉ siècle.

Salomon Walbridge achète de John Norton un moulin à scie et une maison de bois rond, qu'il habite pendant deux ans. Puis il installe sa famille dans une nouvelle résidence, le Walbridge's Hotel, qu'il occupe jusqu'en 1843. Son fils, Alexandre, que son père envoie étudier à l'extérieur du pays, revient avec de grandes ambitions.

Dans les années 1860, Mystic forme une petite communauté de 76 familles, dont 16 seulement sont d'origine canadienne-française. Le village a une économie essentiellement agricole. Le sort du hameau est soudainement bouleversé lorsque le fils Walbridge met sur pied, en 1864, une fonderie et un atelier de travail du métal. La petite usine, localisée derrière la grange actuelle, tout près de la voie ferrée, a besoin de beaucoup d'énergie pour

fonctionner. En 1868, on construit un barrage sur le domaine familial à partir du ruisseau existant, ce qui crée une grande nappe d'eau, à vrai dire un petit lac, aujourd'hui disparu. En 1882, on érige une grange sur le domaine familial puis, trois ans plus tard, Lakelet Hall, une somptueuse résidence familiale en brique de 24 pièces. La même année, l'église unie de Mystic se dresse fièrement juste en face du magasin général.

À la fin du XIXe siècle, Mystic est une petite agglomération d'environ 100 personnes dont la vie économique gravite autour de la fonderie, d'un magasin général et d'un bureau de poste. C'est un arrêt le long de la voie ferrée du Lake Champlain & St. Lawrence Junction Railway, qui la relie aux localités avoisinantes. Mais la fonderie ferme en 1897 et avec elle disparaît la principale activité industrielle de Mystic. Le domaine reste dans les mains de la famille, ce qui ne l'empêche pas de tomber en désuétude : la démolition du barrage entraînera la disparition du lac et, finalement, la résidence somptueuse tombera sous le pic d'un démolisseur en 1941. Seule la grange subsiste, témoin d'un passé familial glorieux.

Aujourd'hui, les membres de la famille Walbridge sont toujours attachés à cet ancien domaine puisqu'ils ont incorporé la Walbridge Conservation Area Limited, une compagnie qui entretient la propriété et dont la mission est de reboiser les lieux. On plante des essences de qualité comme le noyer noir, le tamarack (ancien nom du mélèze), le chêne blanc, le pin blanc et le pin rouge. Le noyer, dont les graines avaient été rapportées des États-Unis par Salomon Walbridge, caractérise d'ailleurs le paysage arboricole de Mystic.

Mystic forme un petit hameau un peu à l'écart du chemin Dutch.

fondateur de l'endroit, Salomon Walbridge. Un monument à sa mémoire se dresse à quelques mètres du temple, au sud-est.

Le village et ses rues

Le village n'a que trois rues, paisibles, toutes plantées d'arbres. Elles sont une invitation à la marche. Le chemin de Mystic forme la rue principale. Le chemin Sully réunit le village au chemin Dutch. Le chemin Walbridge mène vers la voie ferrée.

La grange Walbridge

Cette grange érigée en 1882 par la famille Walbridge vaut à elle seule un détour à Mystic. En bois, de plan octogonal, rouge par surcroît, elle affiche certes une forme insolite dans ce coin de pays.

L'église unie occupe un bel emplacement méticuleusement entretenu au centre du hameau.

La rue principale, une courte voie rectiligne bordée de basses maisons en bois.

L'église et le cimetière

Au centre de Mystic, l'église unie occupe un site empreint de sobriété et d'ordre. Un beau portail donne accès au cimetière attenant. Cet endroit charmant, rempli d'arbres, abrite en ses murs la sépulture du

La première maison des Walbridge

Il ne reste du domaine familial des Walbridge que la grange et cette demeure modeste. Construite en 1822, elle a échappé à la destruction, contrairement à la somptueuse

résidence Lakelet Hall, dont les matériaux de construction furent vendus à un entrepreneur.

L'ancienne école
À l'extrémité nord du village, un bâtiment blanc surmonté d'une tour servait autrefois d'école.

L'ancienne école de Mystic.

Quelques bâtiments de ferme occupent les extrémités de la rue principale.

L'église unie et le monument funéraire du fondateur de Mystic, Salomon Walbridge.

L'Œuf, une ancienne résidence transformée en auberge-restaurant.

Silhouette exceptionnelle dans le hameau, la grange Walbridge domine le paysage villageois.

La grange Walbridge, dont le plan octogonal est inusité dans le paysage rural du Québec.

Visage familier dans le paysage de Mystic.

ADRESSE UTILE

H **L'Œuf**, 229, chemin Mystic.
Restaurant, chocolaterie, auberge.
Tél. : 514-248-7529

❯ Stanbridge-Est

Au détour de la rivière aux Brochets, un village industriel du début du XIXe siècle

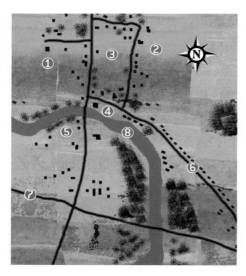

1. Église anglicane
2. Église unie
3. Hôtel de ville
4. Moulin Cornell
5. Magasin Hodge
6. Rue River
7. Route 202
8. Rivière aux Brochets

Qui pourrait croire que les régions de Québec et de la Montérégie ont un point commun ? Pourtant, c'est bien le cas de cette grande plaine étroite et ondulée qui forme une zone de transition naturelle entre la plaine du Saint-Laurent et le relief appalachien. Prenant la forme d'une longue bande, cette région commence au nord près de Montmagny, va vers le sud et rejoint la frontière américaine où elle s'amenuise. Le village de Stanbridge se trouve au centre de la pointe sud dans un paysage de champs cultivés, de bosquets et de massifs forestiers, animé çà et là par de faibles ondulations du relief. Plusieurs maisons en brique ainsi qu'un moulin situé au centre du village évoquent immédiatement les origines de Stanbridge-Est : une économie basée sur la petite industrie et un peuplement anglo-saxon.

Qu'on y accède par n'importe quelle route, on est d'abord frappé par la grande courbe de la rivière aux Brochets traversant l'agglomération de part en part. Un barrage, construit pour alimenter en énergie les moulins, retient une grande nappe d'eau qui baigne tout le centre du village. Autour se dressent plusieurs édifices importants à vocation industrielle, commerciale ou institutionnelle. Le chemin North traverse le village dans l'axe nord-sud et forme les rues Maple et Caleb Tree. La rue River, bordée de maisons villageoises et de commerces anciens, longe d'abord le bassin d'eau puis bifurque au sud, traverse la route 202 et poursuit vers Frelighsburg à travers une contrée agricole. Le caractère pittoresque de Stanbridge tient surtout à la présence de la rivière aux Brochets dont le cours paisible déteint sur l'ensemble du village. Deux églises et un hôtel de ville se profilant de part et d'autre d'un parc en forment le noyau de bâtiments publics. Le moulin Cornell se trouve à l'angle de la rivière et du chemin North, juste en face de l'ancien magasin Hodge.

Le peuplement de Stanbridge remonte à 1797, année où des Américains construisent un premier moulin à l'emplacement du moulin actuel. Dès 1806,

des ateliers de façonnage du bois produisent des toupies servant à la fabrication de rouets et de mobilier. Une tannerie est construite en 1808 par Ébenezer Martin. L'établissement utilise d'énormes quantités d'écorce pour traiter le cuir. Cette vocation industrielle s'affirme en 1820, lorsqu'on construit le premier moulin à carder et à fouler de la région. Les bâtiments publics et religieux apparaissent dans les décennies 1820 et 1830.

Au milieu du XIXe siècle, le village compte une quarantaine de maisons dont plusieurs sont en brique. L'utilisation courante de ce matériau est d'ailleurs une caractéristique de l'architecture du comté de Missisquoi, contrairement à celle de la région voisine de Dunham, où la pierre domine.

Les activités industrielles ont caractérisé les débuts de Stanbridge, mais elles n'ont pas fait disparaître l'agriculture encore importante aujourd'hui. En 1871, le village et ses environs produisent en grande quantité des pommes de terre, de l'avoine, du maïs, du foin et, secondairement, des pois, du seigle, des haricots et des navets. De plus, Stanbridge, puisqu'elle abrite une station sur la ligne de la compagnie de chemin de fer Montreal, Portland & Boston Railway, est reliée à Montréal, ce qui favorise l'exportation de ses produits. Dans les années 1870, le village compte deux hôtels, des magasins et une banque. La vocation agricole de Stanbridge s'est perpétuée jusqu'à nos jours, au détriment de ses premières fabriques. D'ailleurs, la culture des asperges fait la renommée du village dans toute la région et au début de l'été, ce produit maraîcher aboutit sur les tables de plusieurs restaurants de qualité.

La campagne environnante de Stanbridge-Est: plus à l'est, le relief très ondulé annonce les premières hauteurs de la chaîne appalachienne.

Montérégie ▷ Stanbridge-Est

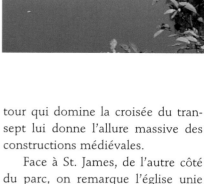

*Le clocher de l'église
St. James the Apostle
dresse son imposante
silhouette dans le
paysage villageois.*

*Le village s'étend de
part et d'autre d'une
grande courbe de la
rivière aux Brochets.*

*L'hôtel de ville est une
construction datant
de 1933.*

Le moulin Cornell

La Société d'histoire de Missisquoi est propriétaire du moulin Cornell. Elle exploite ce bâtiment, le magasin Hodge et une grange qui sert de musée. Elle a aussi aménagé un dépôt d'archives dans le moulin.

Les églises

L'église anglicane St. James the Apostle occupe un site charmant en retrait de la rue Maple. Une belle entrée aménagée, flanquée d'un pin de 120 ans, mène au presbytère puis longe l'église et ouvre sur le cimetière. Cette église d'esprit néo-gothique a été conçue par le premier pasteur, Isaac Constantine. Elle se distingue par son plan en forme de croix latine, par son porche latéral et par des chaînages de brique autour des ouvertures. Un superbe clocher-tour qui domine la croisée du transept lui donne l'allure massive des constructions médiévales.

Face à St. James, de l'autre côté du parc, on remarque l'église unie (anciennement méthodiste). Construite en 1884, elle emprunte des éléments architecturaux de styles divers qui l'apparentent aux dernières productions du courant victorien d'influence pittoresque.

En 1952, l'église Sainte-Jeanne-d'Arc a été aménagée dans une ancienne banque de la rue River construite en 1861 dans un style inspiré des temples grecs.

L'hôtel de ville
L'hôtel de ville fait face à l'église St. James, dans la rue River. Il a été construit en 1933 sur l'emplacement d'une ancienne école érigée en 1820.

L'église anglicane St. James occupe un beau site en retrait de la rue.

À l'angle des rues Maple et Saxe-Cornell, cet ancien cottage en brique a subi des modifications dans sa volumétrie au début du XXe siècle. Par la suite, on ajouta de nouveaux matériaux de revêtement représentatifs du style Arts and Craft en vogue dans la période de l'entre-deux-guerres.

Le moulin Cornell et le barrage occupent le centre du village.

L'ancien magasin Hodge.

Le site de l'église St. James.

Ces bâtiments, dont l'architecture est inspirée du style vernaculaire américain, sont caractéristiques de Stanbridge-Est.

Concours équestres au
parc public.

Phil Baker cultive
l'asperge ;
il est aussi le
boulanger du village.

À cause de leur
proximité, les
établissements de
ferme sont des
éléments familiers
du paysage
villageois.

« ... le sol est principalement composé d'argile mêlée de sable... »
Stanislas Drapeau, 1863

« Le site qu'ils ont choisi s'est depuis ce temps transformé en
village rural florissant, avec deux hôtels, quelques magasins,
une banque privée, une importante tannerie, et une station sur
le parcours du Montreal, Portland, Boston R. R. Son emplacement
sur la rive de la rivière aux Brochets en est un très agréable, et
le territoire agricole le plus prisé du canton l'entoure. En 1808,
une tannerie fut construite ici par Ébenezer Martin, Ébenezer
Hart ouvrit un magasin deux ans plus tard, et en 1820 John
Baker, de Barre, Vermont, dont les descendants demeurent encore
ici, a implanté le premier moulin à carder la laine et la première
fabrique de textiles de la région. »

H. Belden & Co., 1881

ADRESSES UTILES

A **Phil Baker's Bakery,** 19, North
Road. Le propriétaire de cette
petite boulangerie sympathique
cultive aussi les asperges.

M **Le musée Cornell,** dans un ancien
moulin. Collection d'archives et
d'artefacts.
Tél. : 514-248-3153

▷ Pigeon Hill

Dans la campagne de Saint-Armand,
des maisons sous des bouquets d'arbres

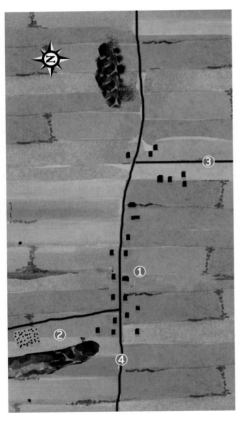

1. Église « St. James the Less »
2. Cimetière
3. Chemin Pigeon Hill
4. Chemin de Saint-Armand

Dans la campagne entre Frelighsburg et Saint-Armand-Ouest alternent les massifs forestiers, les bocages, les champs cultivés et les prés verdoyants dans un relief faiblement ondulé. Des collines qu'on vient de quitter à l'est, il ne reste plus que de douces proéminences sur lesquelles se regroupent des établissements agricoles. Parsemés d'arbres, laissant voir les couleurs de quelques maisons, entourés de terres cultivées, ils surgissent dans le paysage comme des touffes fournies.

La route sillonne cette campagne pittoresque et traverse, comme dans un couloir végétal, des bouquets de grands arbres sous lesquels s'abritent quelques maisons de ferme construites en brique ou en pierre. Le petit hameau de Pigeon Hill constitue un exemple typique des établissements de cette région. Généralement, les maisons sont placées discrètement en retrait, à plusieurs mètres de la route. Quelquefois même, et contrairement à ce qui est le cas dans les campagnes dont le tracé est d'origine française, elles ne font pas face au chemin, mais sont disposées à angle droit.

Pigeon Hill s'appelait à l'origine Sagerfield mais il a changé de nom à cause, paraît-il, de la grosse colonie de pigeons qu'il y avait à cet endroit. L'histoire de Pigeon Hill est liée à celle de Saint-Armand, dont le territoire fut donné en fief et seigneurie à Nicolas René en 1748, puis transféré à l'honorable Thomas Dunn peu après la Conquête. En 1834, lorsque le territoire de Saint-Armand fut divisé en deux paroisses ecclésiastiques, une à l'est et l'autre à l'ouest, Pigeon Hill fut rattaché à la première.

Le premier colon arrivé à Pigeon Hill en 1788 s'appelait George Titemore. Il s'installa à une fraction de kilomètre du village actuel. Ce natif du comté de

Columbia dans l'État de New York fut suivi peu de temps après par d'autres Américains dont Henry Groat ainsi qu'Adam Sager et ses frères. Au fil des années, des bâtiments publics apparurent : une école en 1803, un magasin en 1810 et le premier bureau de poste en 1851. Pigeon Hill a subi, comme quelques localités de la région, l'invasion des *Fenians,* ces soldats américains d'origine irlandaise déterminés à prendre le Canada en otage (voir à ce sujet Frelighsburg). Même si Pigeon Hill garde toujours sa vocation agricole, quelques maisons servent aujourd'hui de résidences secondaires et laissent entrevoir pour ce charmant hameau une nouvelle voie.

Pigeon Hill, un renflement le long d'une route sillonnant la campagne de Saint-Armand.

Montérégie ⚑ Pigeon Hill

L'église

Des gens de différentes confessions religieuses ont marqué la petite histoire de Pigeon Hill. Des églises méthodiste (1825), adventiste (1864) et anglicane, seule cette dernière subsiste aujourd'hui. L'église St. James, érigée en 1859, se trouve au centre du village, en bordure de la route principale.

Le cimetière

Dans le cimetière de Pigeon Hill, les pierres tombales en ardoise des premiers colons, exposées aux intempéries, s'effritent avec le temps.

Depuis près d'un demi-siècle, peu de choses semblent avoir changé à Pigeon Hill. Cet ancien îlot de pompage nous le rappelle.

Le cimetière est situé à l'écart du village, le long du chemin des Érables. Parmi les pierres tombales regroupées sur un terrain plat en bordure d'un terrain boisé, certaines sont en ardoise. Usées et arrondies par le temps, elles témoignent des débuts de Pigeon Hill et évoquent la condition modeste des colons qui s'y sont établis à la fin du XVIII⁰ siècle.

Le chemin de Saint-Armand

La route qui relie Frelighsburg à Saint-Armand en passant par Pigeon Hill est remarquable. Sur quelques kilomètres, les vues panoramiques alternent avec des percées sur de très beaux paysages bucoliques. C'est un itinéraire pittoresque de premier ordre.

L'église St. James, un
bref intermède dans la
suite des habitations.

Une route principale,
une voûte d'arbres
centenaires, quelques
maisons de ferme et
cottages oubliés par le
temps.

Le chemin de Saint-Armand.

Tout au long du chemin de Saint-Armand, différents types de constructions toutes empreintes du charme de la région se succèdent dans le paysage champêtre.

En venant de l'est, il faut gravir une faible pente avant d'entrer dans le hameau.

❯ Hunters Mills

Les maisons d'un ancien hameau industriel

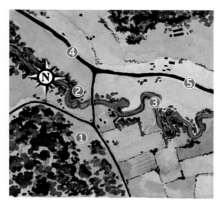

1. Maisons aux loggias
2. Chute
3. Rivière aux Brochets
4. Route 237
5. Vers Frelighsburg

Après avoir traversé le village de Frelighsburg, où elle a alimenté pendant longtemps le moulin de Richard Freligh, la rivière aux Brochets suit gaillardement son cours vers l'ouest, traverse une petite vallée verdoyante bordée de part et d'autre de belles terres cultivées, se glisse sous un vieux pont de bois, coule paresseusement puis dévale une chute de plusieurs mètres. C'est là qu'un petit établissement industriel fut fondé en 1790 par Isaac La Grange. L'un des premiers pionniers de Saint-Armand, comme d'autres loyalistes, ces Américains restés fidèles à leur allégeance britannique, il était venu de l'État de New York.

Le petit noyau industriel, appelé La Grange Mills du nom de son propriétaire, était l'un des satellites du centre de services qu'était le petit bourg de Frelighsburg. Il n'acquit jamais le statut de village, mais fut doté d'un bureau de poste en 1865. À la fin du XIXe siècle, il fut relié à Frelighsburg et à Stanbridge par la voie ferrée du Montreal, Portland & Boston Railway.

L'appellation de Hunters Mills vient d'un moulin exploité par un dénommé Hunter au tournant du XXe siècle. La plupart des fermiers de la région possédaient dans leur cheptel des moutons. On récupérait la laine qui était filée grossièrement; puis, on en faisait de petites balles qu'on filait plus mince sur le rouet. Les producteurs se rendaient au moulin Hunter avec leur chargement de laine utilisé pour fabriquer des tissus destinés à la confection de robes, de pantalons, de chemises et de couvertures. On tissait entre autres des couvertures à carreaux rouges et noirs, bien connues des générations du début du siècle. Le moulin a fermé en 1911.

Aujourd'hui, quelques maisons forment le hameau de Hunters Mills et les moulins ont complètement disparu. Un petit pont enjambe un beau réservoir dont l'eau est contenue par un petit barrage de ciment. Un bungalow en pierre perché au sommet des chutes, quelques maisons en bois, une belle ferme et un gracieux cottage en brique constituent les principaux bâtiments. Trois des maisons, dont la façade donne sur le mur pignon et fait face à la route, présentent des similitudes : elles sont dotées d'une loggia au deuxième étage.

Vue d'ensemble du hameau
en direction sud.

Après avoir traversé Frelighsburg,
la rivière aux Brochets sillonne
une petite vallée qui aboutit
à Hunters Mill.

Montérégie ▪ Hunters Mills

99

Le site du moulin

Aujourd'hui, les moulins ont disparu. Seuls un bassin d'eau et les
vestiges d'un ancien barrage rappellent qu'autrefois la rivière a été aménagée à des fins industrielles.

Les maisons aux loggias

À l'étage de leur mur pignon, plusieurs maisons se ressemblent par un
élément architectural caractéristique,
la loggia. Il s'agit d'un espace couvert, d'inspiration victorienne
Queen Anne, courant dans l'architecture vernaculaire américaine de la
fin du XIXe siècle.

*Une grange à toit brisé
d'allure américaine.*

Les maisons aux loggias se trouvent du côté ouest du chemin.

La campagne environnante.

> Frelighsburg

Petit bourg du XIXᵉ siècle tapi
au pied du mont Pinacle

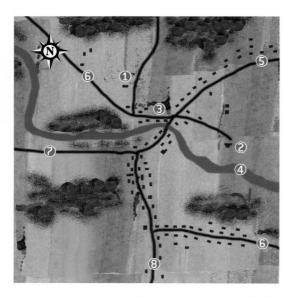

1. Église anglicane
2. Église catholique
3. Site du moulin Freligh
4. Rivière aux Brochets
5. Route 213
6. Route 237
7. Chemin de Saint-Armand
8. Chemin du verger modèle

Peu de villageois peuvent s'enorgueillir d'habiter un site aussi pittoresque que celui de Frelighsburg. La rivière aux Brochets serpente au creux d'une petite vallée dans un paysage où se profilent des sommets à peine apprivoisés par l'homme. Plusieurs routes et chemins convergent vers le village, le relient aux agglomérations environnantes et le placent au centre d'une sorte de toile d'araignée constituée de six grands filaments. La route principale, calquant son tracé sur celui de la rivière, enjambe celle-ci en plein centre de Frelighsburg et relie celui-ci à Stanbridge-Est au nord, et au Vermont au sud.

Les premiers colonisateurs des lieux avaient-ils surgi de cette route? Venaient-ils des États-Unis dans cette nouvelle région qu'on leur avait demandé de coloniser? Peut-être. Un nommé Gibson s'est établi le premier en 1790 et a construit une maison de billots tout près du site actuel du moulin, suivi par un certain Owens à qui on attribue la construction du premier moulin à farine. Par la suite, Conroy et Yumans ont acheté ce moulin, lui ont adjoint un moulin à scie et l'ont vendu à leur tour à Abram Frelight, un Américain originaire d'Albany (New York), de qui le village tient son nom.

Dans la première moitié du XIXᵉ siècle, le développement commercial, sans doute favorisé par une situation stratégique, permet à l'agglomération de progresser pour devenir un petit bourg, incorporé en 1867. Quelques années plus tard, des magasins, des boutiques, des usines, une académie, trois églises et un bureau de télégraphe apparaissent. Tels des satellites, des petits hameaux comme Hunters Mills et Abbots Corner vivent en symbiose économique avec Frelighsburg.

Dans les années 1870, ce village de presque 300 âmes compte près d'une cinquantaine de maisons dont la plupart sont en bois et quelques-unes en

brique. Aujourd'hui, une bonne part de ces constructions sont toujours sur le territoire de Frelighsburg : on remarque des petites maisons en bois, à toit à deux versants, d'influence américaine, des édifices publics ou religieux en brique et quelques résidences.

À la fin du XIXe siècle, les collines environnantes ont été déboisées en grande partie pour l'agriculture et pour la production de bois de sciage. Les arbres actuels sont le résultat d'une générescence quasi complète de la forêt.

Frelighsburg continue aujourd'hui d'affirmer son rôle de petit centre de services régional. On y trouve une grande surface d'alimentation, des restaurants, un café, un gîte du passant, le siège social d'une compagnie d'assurances et un centre de recherche en pomiculture. Le côté enchanteur du site attire aussi son lot de visiteurs intrigués par la réputation de l'endroit. L'industrie touristique, qui s'est développée considérablement dans les dernières années, tire parti du potentiel aux multiples facettes de Frelighsburg. La beauté du village et du site, son emplacement au cœur d'une région dotée d'attraits naturels, la présence du mont Pinacle à l'est, des érablières et des vergers au milieu de vastes panoramas sont autant d'atouts. S'ajoute à cette liste d'attraits la présence de bâtiments historiques d'une grande valeur.

Le village de Frelighsburg au milieu des collines.

Deux noyaux de bâtiments publics

À la base de l'entonnoir formé par la route 237 et le chemin Dunham se trouve un premier groupe de bâtiments publics. Il comprend, d'ouest en est, l'église anglicane Bishop Stewart Memorial (1880), l'hôtel de ville et l'école protestante.

Les autres bâtiments, situés du même côté de la rivière, occupent une hauteur du côté est du chemin Dunham; ce sont l'église catholique (1883), le presbytère (1887) et le couvent (1914).

L'église anglicane.

L'ancien moulin de Richard Freligh (MH)

La première construction a été érigée sur le site en 1790, mais le moulin actuel date de 1839. Il a été bâti par Richard Freligh, le fils d'Abram. Aujourd'hui propriété de la famille Demers, le moulin a fait l'objet d'une restauration exemplaire. Le site, fort bien aménagé, dégage un charme irrésistible. Le moulin a été classé monument historique en 1973.

L'ancien magasin de Joseph Lansberg

Cet ancien magasin général a été fondé par l'un des premiers occupants de Frelighsburg. Aujourd'hui, c'est un café restaurant et le siège d'une société de promotion des produits de l'érable.

Les vergers

L'introduction de la culture de la pomme à Frelighsburg est une initiative tardive qui remonte à 1929. Les premières régions productrices de pommes sont d'abord apparues près des collines montérégiennes (monts Royal, Saint-Bruno, Saint-Hilaire, Johnson, Abbotsford et Rougemont), dans le bassin de la Châteauguay, sur les pentes de Covey Hill dans le comté de Huntingdon et à quelques endroits près de Québec. La diffusion de la science et des techniques de culture des fruits fut très tôt l'œuvre de sociétés privées qui

regroupaient des personnes de tous les milieux. La Société d'agriculture et d'horticulture de Montréal fut fondée en 1849. Par la suite, d'autres institutions furent créées, notamment l'école d'agriculture de Sainte-Anne-de-la-Pocatière en 1859 et l'Institut d'agriculture d'Oka. En

L'ancien magasin de Joseph Lansberg est un bâtiment remarquablement bien conservé. Son intérieur a été reconverti en un petit café accueillant, affichant toujours l'agréable décor d'époque.

Ce magnifique verger occupe les pentes en contrebas du chemin de Saint-Armand.

Cueillette de pommes
à la ferme Trois
Ruisseaux.

pentes du mont Pinacle. Et il y eut plus tard le verger de l'ancien premier ministre du Québec Adélard Godbout, l'actuelle ferme Trois Ruisseaux située sur le chemin de Saint-Armand.

Le chemin Eccles Hill et les *Fenians*

En quittant Frelighsburg par la route menant au lac Champlain, on emprunte en direction ouest le chemin de Saint-Armand, magnifique parcours qui sillonne la campagne environnante. De belles fermes, des vergers, des bosquets et des champs cultivés se succèdent dans un agréable décor champêtre. À quelques kilomètres de là, du côté sud, origine le chemin Eccles Hill. Son tracé sinueux aboutit à la frontière américaine et parcourt une grande colline dominant une belle vallée naturelle. Quelques nappes d'eau, des bâtiments de ferme et des champs cultivés s'accrochent ici et là sur les flancs de collines verdoyantes.

Peut-on imaginer que ces lieux si paisibles ont été, vers 1866, le théâtre d'événements dramatiques reliés à l'invasion des *Fenians*? Reportons-nous à l'histoire de l'Irlande, au milieu du XIXe siècle : à l'époque, ce petit pays vivait des événements tragiques dus à la famine et à la pauvreté générale de sa population. Dominée par l'Angleterre, à laquelle elle reprochait une politique mesquine, l'Irlande vit une large part de sa population quitter le sol natal pour s'exiler en Amérique : de 1847 à 1861, deux millions d'Irlandais traversèrent l'Atlantique. Pendant la guerre de Sécession, beaucoup de ces Irlandais s'engagèrent dans l'armée

1907, l'Université McGill mit sur pied un programme d'agriculture à Sainte-Anne-de-Bellevue et en 1903, le ministère de l'Agriculture du gouvernement du Québec créa un poste de spécialiste de la culture des fruits. En 1927, des membres de la Société pomologique de Québec, formée des anciennes sociétés horticoles d'Abbotsford et de Missisquoi, estimèrent que la production québécoise de pommes ne pourrait suffire à alimenter le marché de Montréal et qu'il fallait ouvrir une nouvelle région productrice. Après avoir mené des enquêtes et fait des vérifications sur le terrain, ils arrêtèrent leur choix sur Frelighsburg et ses environs. Ferdinand Paquette planta le premier verger en 1929. Par la suite, les vergers Deslongchamps et Bernier apparurent à Abbott's Corner et celui de L. P. Roy (sous-ministre à l'Agriculture) fut aménagé sur les

et apprirent le métier de soldat. La guerre terminée, plusieurs se joignirent à la Société *Fenian,* dont l'objectif était d'obtenir l'indépendance de l'Irlande. Si loin de leur patrie, de quels moyens disposaient-ils pour contraindre l'Angleterre? Ils résolurent tout simplement d'attaquer le Canada, encore colonie britannique, et de le prendre en otage.

Les *Fenians* comptaient traverser la frontière américaine, anéantir le peu de résistance qu'ils rencontreraient sur place et marcher ensuite sur les troupes britanniques stationnées à Montréal. Deux tentatives eurent lieu, l'une en 1866, l'autre en 1870. En 1866, après avoir pillé Frelighsburg et Stanbridge-Est, ils durent rebrousser chemin par suite de l'intervention de la milice. À leur retour, ils furent désarmés par les autorités américaines. En 1870, 400 révolutionnaires revinrent au Canada. Mais une force composée de la milice

populaire et du 60e bataillon d'infanterie de Missisquoi prit position sur les hauteurs d'Eccles Hill et repoussa les envahisseurs par les armes. Aujourd'hui, un monument rappelle la mémoire de la seule victime des raids des *Fenians,* Margaret Vincent, une dame âgée, tuée accidentellement par un soldat britannique à Pigeon Hill. Sourde, elle n'avait pas obtempéré à l'ordre d'une sentinelle nerveuse…

Le monument à la mémoire de Margaret Vincent, seule victime des raids des Fenians.

En bordure du chemin Eccles Hill, le paysage champêtre est d'une grande beauté.

Le moulin Freligh
au bord de la rivière
aux Brochets au
centre du village.

L'entrée latérale
du moulin.

« Un magnifique village d'environ 400 âmes est établi dans cette partie de la seigneurie [la seigneurie de Saint-Armand], qu'on appelle Frelighsburg. Il est composé d'Américains, pour la plus grande partie, et renferme des hommes de profession, des gens de métiers et des marchands. Une agence douanière est établie dans ce village, lequel est situé sur la rive sud de la rivière aux Brochets. »

Stanislas Drapeau, 1863

« Le principal village de Saint-Armand est Frelighsburg, à peu près au centre de la paroisse est, qui a été incorporé en 1867, et en 1871 possédait une population de 255 habitants. Il repose dans la vallée de la rivière aux Brochets, entouré par des collines, et à partir de n'importe laquelle des routes qui y mènent, il présente un paysage d'une tranquille beauté uniquement égalée par une vue au-delà des collines avoisinantes. Il y a ici plusieurs magasins et établissements industriels, le plus important étant le commerce de Joseph Lansberg. Une académie, trois églises et un bureau de télégraphe fournissent les services auxquels ils sont destinés, et le Montreal, Portland & Boston R. R., actuellement en cours de construction à l'intérieur de ses limites, va l'amener à portée des grands centres de commerce dans la présente saison, si les prévisions actuelles se réalisent. »

H. Belden & Co., 1881

ADÉLARD GODBOUT
1892-1956

Premier ministre du Québec en 1936 et de 1939 à 1944, Adélard Godbout fut d'abord professeur agronome à l'école d'agriculture de La Pocatière avant d'être élu à l'Assemblée législative en 1929. Il fut propriétaire de l'actuelle ferme Trois Ruisseaux sur le chemin de Saint-Armand, à l'époque où les habitants de Frelighsburg ont commencé à s'adonner à la pomiculture.

ADRESSES UTILES

H   **Le gîte L'Orchidée**, 6, rue de l'Église. Au centre du village, dans une ancienne maison rénovée.
Tél. : 514-298-5657

A   **Les Sucreries de l'érable**, au centre du village. L'ancien magasin général de Joseph Lansberg abrite un café-terrasse. On offre des produits de l'érable et des tartes à l'ancienne. Exquis !

Ce bel alignement régulier de maisons de la fin du XIXe siècle se trouve à la sortie sud-est du village.

La maison principale de l'ancienne ferme O'Halloran, aujourd'hui la ferme des Trois Ruisseaux.

Vue en plongée sur le village à partir de l'entrée sud.

Chemin bucolique dans les environs de Frelighsburg.

> Knowlton*

Au sud du lac Brome : ancien chef-lieu
aujourd'hui incontournable

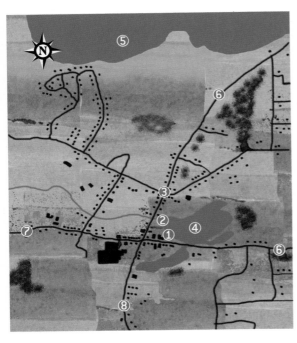

1. Église méthodiste
2. Parc public
3. Secteur administratif
4. Étang du Moulin
5. Lac Brome
6. Route 243
7. Route 104
8. Chemin du Mont-Écho

Parmi les villages de la région du lac Brome, Knowlton vaut le détour. Cet endroit aux atouts innombrables exerce depuis longtemps un charme incomparable sur les visiteurs et il jouit d'une grande réputation qu'il s'est bâtie à juste titre. Les paysages au relief irrégulier sont en effet magnifiques et leur attrait tient sans doute à leur variété. Plusieurs collines entourent une agglomération impossible à saisir dans sa totalité. Lorsqu'on arrive du nord, on circule sur la route longeant le magnifique lac Brome, d'où on aperçoit les minces rubans de villégiature, la grande nappe d'eau sur un fond de scène montagneux, des marais et des bouquets d'arbres. Après avoir quitté la rive du lac, la route traverse sur environ un kilomètre un couvert forestier où se dissimulent quelques grands domaines, puis traverse le village. Sa jonction avec une autre route plus au sud forme une croix. Vers l'est, la route 243 mène vers Bolton Centre et South Bolton et traverse un beau couloir naturel bordé de montagnes, la Bolton Pass. Vers le sud, une autre route conduit à la belle région montagneuse de Sutton par le chemin du Mont-Écho et, à l'ouest, vers Cowansville.

Le village s'est implanté sur un relief irrégulier : le secteur administratif est juché sur une hauteur où sont groupés les principaux édifices publics situés autour des rues Victoria et Saint-Paul. L'étang du moulin occupe presque complètement la partie inférieure du village, dont il domine toute la moitié est. Un parc ainsi que des alignements de boutiques et de restaurants qui

* Lac-Brome

Knowlton à l'avant-plan
et, en arrière-plan,
le lac Brome.

ceinturent l'agglomération en partie forment le secteur commercial. Dans les rues Benoît et Lansdown, la présence d'une académie suggère un début de secteur institutionnel.

La naissance de Knowlton remonte à 1821 avec la construction d'un moulin sur le site du petit barrage actuel. Mais l'établissement naquit véritablement avec l'arrivée du colonel P. H. Knowlton dont les efforts aboutirent à l'érection d'un moulin à farine en 1836, à la reconstruction du moulin à scie et à la création d'un magasin. En 1855, le village, qui constituait déjà le centre des communications télégraphiques régionales et s'était doté d'un bureau de poste ainsi que d'un Public House, devenait le chef-lieu du comté de Brome. Son essor ne devait pas se démentir dans les années suivantes. Le village comptait 500 habitants en 1881. En 1898, on y aurait créé la première bibliothèque publique au Québec et en 1908 un palais de justice y desservait le district judiciaire. Ce n'est que plus tard, en 1970, que les villages et hameaux de Knowlton, Brome, Bondville, Fulford, Iron Hill et West Brome ont fusionné pour former l'entité administrative actuelle de Lac-Brome.

Les églises

Trois confessions religieuses – catholique, anglicane et méthodiste –, qui ont traditionnellement eu leur temple, sont représentées à Knowlton. L'église méthodiste, construite en 1875, emprunte aux styles victoriens son vocabulaire architectural. Elle occupe un beau site sur une langue de terre à proximité de l'étang du Moulin.

L'ancienne maison d'Israel England

Au début d'un alignement clairsemé de bâtiments du côté ouest de la rue Lakeside, le Masonic Hall se trouve au numéro 61. Autrefois la propriété d'Israel England, l'un des premiers fondateurs de Knowlton, il abritait une tannerie en 1843.

Les édifices publics

Le secteur administratif (SP), organisé de part et d'autre de la rue Lakeside près de l'intersection de la rue Saint-Paul, comprend plusieurs édifices : le Paul Holland Knowlton Memorial (130 à 142, rue Lakeside), actuellement occupé par la Brome County Historical Society et construit comme académie en 1854, le bureau de comté construit en 1857 (15, rue Saint-Paul), l'ancien bureau de poste (1904) qui loge aujourd'hui l'administration municipale (122, rue Lakeside), l'édifice anciennement occupé par l'Eastern Township Bank (101, rue Lakeside) et l'édifice de la bibliothèque construit en 1894 (278, Knowlton).

Le Masonic Hall, une construction très ancienne, abritait autrefois une tannerie.

De façon générale, on trouve à Knowlton une belle qualité d'affichage.

Le Paul Holland Knowlton Memorial, un beau site paisible, se trouve dans la partie supérieure du village.

Montérégie ▸ Knowlton

114

Le parc

C'est sur le site de ce parc que P. H. Knowlton, tirant parti de la dénivellation et du courant du ruisseau, alors appelé Cold Brook, avait installé un grand moulin à moudre.

À Knowlton, l'architecture des commerces, le décor intérieur, les odeurs et les marques des produits offerts évoqueront auprès du visiteur des coins familiers.

Concert estival dans un kiosque.

L'église méthodiste est construite sur une langue de terre entre deux nappes d'eau.

Le ruisseau Cold Brook traverse le centre du village.

Le noyau commercial de Knowlton est disposé de part et d'autre du ruisseau Cold Brook.

À l'écart du noyau villageois, quelques rues présentent des alignements bien conservés de maisons du XIXe siècle et du début du XXe siècle.

Immédiatement en bordure de l'étang, le parc forme un espace agréable au sud du ruisseau.

L'étang est un élément indissociable du paysage villageois.

L'édifice de la
bibliothèque,
construit en 1894.

Décor d'Halloween.

« Brome renferme un certain nombre de villages prospères et pittoresques,
aucun desquels n'étant incorporé. Knowlton, étendu sur et parmi les collines
ayant vue sur l'extrémité sud du lac, est agréablement pittoresque. Il a une
population d'environ 500 habitants, un bureau de comté bien construit et commode,
trois églises (épiscopale, méthodiste et catholique romaine), une académie, des écoles
françaises et anglaises, des moulins à scie et à moudre, une tannerie, deux hôtels,
et une station du South-Eastern Railway (Northern Division), en plus des habituels
commerces et bureaux d'affaires. »

H. Belden & Co., 1881

ADRESSE UTILE

A Les amateurs de boutiques seront servis à Knowlton. Une foison
de petits commerces d'articles divers et de vêtements devraient
satisfaire les clients les plus exigeants. Étant donné leur grand nombre,
nous avons choisi de ne pas les mentionner sauf pour un commerce
d'alimentation : il s'agit de la boulangerie artisanale **Panissimo**, aux pains
tout aussi variés que raffinés.
Tél. : 514-242-2412

› Saint-Antoine-sur-Richelieu

Un village agricole typique de la vallée du Richelieu

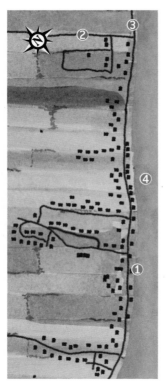

1. Place de l'Église
2. Route 223
3. Chemin Pomme d'Or
4. Richelieu

Plus que tout autre aujourd'hui, le village de Saint-Antoine témoigne éloquemment de la vocation agricole de la vallée du Richelieu et de sa quiétude séculaire. Contrairement à d'autres agglomérations de la région situées en bordure de l'autoroute 20, Saint-Antoine est à l'écart des principales voies de communication régionales. Pour traverser le Richelieu et rejoindre les quelques paroisses de la rive est, il faut prendre le traversier pendant l'été ou le traditionnel pont de glace l'hiver. Et encore. La glace ne se forme que pendant les mois les plus rigoureux. Au sud, il faut parcourir plusieurs kilomètres pour joindre l'autoroute. À l'ouest, un parcours au travers des rangs conduit au bord du fleuve Saint-Laurent, à proximité de Contrecœur.

Pourtant, le village de Saint-Antoine a longtemps été une étape sur une route régionale stratégique reliant la région de Saint-Hyacinthe à Lavaltrie sur la rive nord du fleuve. L'arpenteur Joseph Bouchette l'avait d'ailleurs noté lorsqu'il fit ses observations de la région en 1815. De Saint-Antoine par l'actuel chemin de Pomme d'Or, le voyageur pouvait se rendre sur la rive nord du Saint-Laurent, à Lavaltrie, en prenant le traversier à Contrecœur. Encore aujourd'hui, ce chemin origine à l'extrémité est du village et aboutit directement au lieu d'embarquement du bac qui relie Saint-Antoine à son voisin d'en face, Saint-Denis-sur-Richelieu. De ce dernier bourg, le voyageur pouvait se rendre à Saint-Hyacinthe et à sa région par la route Yamaska, en passant par La Présentation. Le trajet, qui se faisait presque en ligne droite, unissait mieux qu'aujourd'hui deux régions opposées.

Même si le village de Saint-Antoine est resté très longtemps un relais obligé le long d'une route régionale très ancienne, cela n'a pas modifié sa vocation agricole traditionnelle. Son territoire, qui était rattaché à l'origine à la seigneurie de Contrecœur concédée en 1672, s'en détacha au début du XIXe siècle. Une première paroisse fut établie en 1749 et un premier presbytère fut construit l'année suivante. Plus tard, soit en 1752, une église fut érigée tout près de l'eau.

Au milieu du XIXe siècle, la paroisse de Saint-Antoine comptait 1821 habitants. Par sa population, par le nombre de ses maisons et commerces et par

sa production agricole, elle s'apparentait aux petites paroisses du comté de Verchères. Sa production principalement axée sur l'agriculture reflétait par ailleurs celle de la région : en 1871, l'avoine venait en tête, suivie des pois et de la pomme de terre. L'orge et le blé complétaient la liste des denrées. En plus de la route déjà mentionnée, le Richelieu était l'autre voie de communication avec l'extérieur : un bateau à vapeur transporta des voyageurs pendant longtemps. L'hiver, le pont de glace joignait Saint-Antoine à sa voisine.

Malgré sa proximité de Montréal et la présence de zones urbaines proches, le village n'a pas perdu son caractère rural. C'est un site de choix sur les bords d'un magnifique cours d'eau et la trame ancienne de ses voies de circulation est restée intacte. Le tracé de l'artère principale, le chemin du Rivage, longe la rivière Richelieu dont il épouse les courbes. Un peu avant et après l'église, il s'écarte légèrement du bord de l'eau et donne prise à une étroite bande de terre. Le village comporte donc deux alignements continus, de part et d'autre de la route, coupés en leur milieu par le noyau paroissial qui s'ouvre sur un petit parc et sur la voie navigable.

Situé sur la rive est de la rivière Richelieu, le village fait face à Saint-Denis-sur-Richelieu.

Montérégie ◼ Saint-Antoine-sur-Richelieu

◼

La route 223 longe le Richelieu et traverse le village, où elle devient la rue principale.

d'origine japonaise Miyuki Tanobé, qui a adapté à des thèmes d'inspiration québécoise la technique picturale du nihonga, produit des œuvres charmantes, naïves, dont les sujets s'inspirent de scènes du quotidien.

La présence des artisans traditionnels

Depuis ses débuts, le village de Saint-Antoine a toujours compté une population nombreuse d'artisans. Cette tradition, loin de disparaître, se perpétue aujourd'hui.

Le métier de passeur est apparu au début du XIXe siècle à Saint-Antoine. À l'origine, le bac, qui pouvait transporter deux voitures, comportait une roue à aubes actionnée par un cheval. Aujourd'hui, les choses ont été simplifiées grâce à un moteur relié à un câble d'acier. Mais ce moyen de transport n'en a pas pour autant perdu son charme d'autrefois. Quel plaisir pour le visiteur de l'utiliser et d'avoir à se soumettre, ne serait-ce que pendant un court

Un lieu choyé par les artistes

La beauté des lieux, la quiétude qu'inspire le Richelieu et la proximité de Montréal ont fait de Saint-Antoine un refuge pour beaucoup d'artistes. Le premier à y venir fut Albert Dumouchel, grand maître de la gravure, professeur reconnu et animateur du monde des arts. Œuvrant dans le même domaine, Monique Charbonneau a, quant à elle, pratiqué la gravure sur bois, en plus de dispenser un enseignement universitaire. Léon Bellefleur, à qui on doit des gravures, des dessins et des peintures, est un artiste de réputation internationale. Les œuvres originales d'André Fournelle, des alliages de verre et de métal, intègrent des éléments cinétiques. L'art de la tapisserie est aussi représenté par un artiste lissier, Jacques Blackburn, originaire du Lac-Saint-Jean, arrivé en 1973. Et qui croirait que le Japon a une représentante à Saint-Antoine ? Eh bien oui ! L'artiste

ont amené Christine Bertrand à faire la promotion de métiers disparus. Elle cueille dans les champs de Saint-Antoine les fleurs nécessaires à la fabrication de pigments traditionnels pour s'adonner au métier de la teinturerie.

Gaétan Pilon fait la réparation des petites embarcations. Grâce à des techniques traditionnelles améliorées, il fabrique des canots et des petits voiliers en bois inspirés des formes et des modèles anciens.

La place de l'église
L'église actuelle, construite en 1914, est le troisième temple. Le presbytère date de 1882. Le remblai cimenté qui borde la rive en face de l'église fut élevé en 1937 par le gouvernement fédéral. Construit en 1913-1914, le quai assurait à l'époque un lien avec le lac Champlain et les États-Unis ainsi qu'avec Montréal via Sorel.

moment, à l'ordre d'un temps révolu...

La curiosité inlassable du public pour les métiers traditionnels et la nécessité pour certains organismes culturels d'animer des sites historiques

Fenêtre traditionnelle de maison villageoise, avec ses persiennes.

L'église telle qu'on l'aperçoit des champs.

Lieu de naissance de George-Étienne Cartier

Sir George-Étienne Cartier, homme politique d'allégeance conservatrice, figure dominante de l'histoire canadienne du XIXe siècle, naquit à Saint-Antoine le 6 septembre 1814. Sa maison natale a été démolie en 1906, mais une plaque affichée sur un terrain aménagé en bordure du Richelieu à environ 1,5 kilomètre du village rappelle son existence. En face de l'église, un monument commémoratif a été érigé à la mémoire de Cartier.

La place de l'église fait face à la rivière.

Devant l'église, le buste de Cartier.

Le chemin de la Rivière, les petites rues et le bord de l'eau

L'architecture du village recèle des modèles architecturaux très anciens en pierre et de petites maisons villageoises en bois typiques du XIXe siècle. Plusieurs d'entre elles, en particulier celles qui sont situées dans les petites rues arrière, comportent des dépendances traditionnelles: remises, hangars, anciennes boutiques, et même de petites dépendances agricoles.

La rue principale bordée de quelques maisons de pierre, mais surtout de maisons villageoises du XIXᵉ siècle.

D'influence mauresque, cette maison a été construite par des membres de la famille Cartier qui auraient trouvé leur inspiration lors d'un voyage en Afrique du Nord.

À peu de chose près, la maison natale de George-Étienne Cartier ressemblait à cette grande maison de pierre construite pour L. J. Cartier.

SIR GEORGE-ÉTIENNE CARTIER
1814-1873

Admis au barreau en 1835, Cartier milita dès 1836 dans les mouvements patriotiques de l'époque. Il participa à quelques actions du mouvement insurrectionnel de 1837. En 1848, il devint député du comté de Verchères. Rapidement arrivé aux premiers rangs du Parti libéral, il fit la promotion des entreprises commerciales et contribua à la construction de canaux et de voies ferrées. On retient surtout le rôle clé joué par Cartier dans la naissance de la Confédération. Jacques, le père de George-Étienne, se maria à Saint-Antoine le 4 septembre 1798.

Déjà au XIXe siècle, le traversier faisait la navette entre Saint-Antoine et le village d'en face, Saint-Denis.

Ce canot de charge, une petite embarcation de fabrication artisanale, est le préféré des chasseurs et des pêcheurs qui l'actionnent avec des rames ou un moteur.
Gaétan Pilon en est l'auteur.

ADRESSES UTILES

 Restaurant **Le Champagne**, situé dans le Château Saint-Antoine, au centre du village, une belle résidence spacieuse à l'architecture d'influence mauresque.
Tél.: 514-787-2966

 Les Embarcations Les Goélands enr., 1107, du Rivage.
Atelier de chaloupier.
Tél.: 514-787-2867

Les Vieux Métiers, 999, chemin du Rivage. Siège social d'un organisme de promotion des métiers traditionnels.
Tél.: 514-787-2125

Saint-André-Est
Cushing
Carillon

Laurentides

On ne recherchera pas dans la région des Laurentides la présence de villages anciens offrant une architecture recherchée. À cause de plusieurs facteurs tant historiques que géographiques, cette région présente un intérêt différent, qui s'appuie sur une relation privilégiée entre la nature et la villégiature.

Le peuplement de la région ne survient que tardivement. Le développement du nord de Terrebonne et celui du comté de Labelle, encouragé par le curé du même nom, n'intervient qu'à partir de la seconde moitié du XIXe siècle. Les premiers colons arrivés sur ce territoire ont la vie dure et ne disposent que de faibles moyens. La région, généralement installée sur un sol rocheux, partie intégrante du rebord sud du Bouclier canadien, ne peut espérer beaucoup de l'agriculture. La roche étant inutilisable pour la construction, les habitations des premiers colons sont érigées à partir de billots de bois, ou rondins. Petites, elles ne comportent qu'un étage. Dans la région de Saint-Jérôme en 1861, sur un total de 93 habitations, 91 sont construites en billots. Dans toute la région de l'Outaouais en 1891, sur un total de 10 132 maisons, 97 p. 100 sont en bois, et utilisent en grande partie le rondin !

Un tel bagage de départ est bien maigre lorsqu'il s'agit de s'implanter dans une région, de mettre en place

Quelques établissements agricoles du XIXe siècle occupent le côté nord de la route principale, à l'extrémité ouest du village de Cushing.

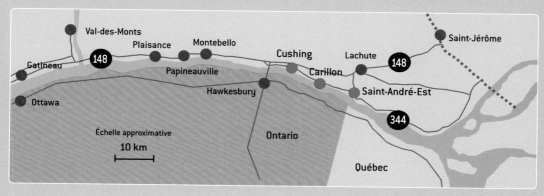

des villages et d'organiser un terri- toire. Un développement économi- que basé sur la ressource première ne suffit pas à donner la prospérité. Au seuil du XIXe siècle, elle mettra à profit son potentiel naturel à des fins de villégiature. Il faut dire que l'abondance de lacs, de rivières et de forêts a de quoi séduire les citadins venus respirer l'air frais. Ce phéno- mène engendre la prolifération de chalets et de résidences secondaires généralement modestes, regroupés autour de lacs et disposés selon la bonne volonté de chacun dans une nature vaste et généreuse d'espace.

Dans cette grande mosaïque de forêts et de lacs, il ne faut cependant pas oublier une petite portion de ter- ritoire qui en occupe la partie sud, principalement dans le comté d'Ar- genteuil. C'est notamment là que les Basses-Terres du Saint-Laurent apportent à la région des Laurentides un peu de la quiétude d'une belle plaine au potentiel agricole excel- lent. Cushing, Carillon et Saint- André-Est y prennent place, en bor- dure de l'Outaouais, et forment un phénomène à part. D'abord colonisé par des loyalistes puis par des Irlan- dais, ce territoire recèle une architec- ture de pierre unique au Québec.

❯ Cushing et Saint-André-Est en passant par Carillon

Au bord de l'Outaouais, des petits hameaux d'origine anglo-saxonne où prime une architecture de pierre et de brique

Autour de 1800, la bordure nord de la rivière des Outaouais entre Saint-André-Est et Cushing accueille plusieurs groupes de colons d'origine anglo-saxonne qui amènent avec eux leur culture et leurs façons de construire. Ils laissent dans cette région une architecture unique, de pierre et de brique, dont les spécimens imposants et bien conservés sont éparpillés, de Saint-André-Est jusqu'à Cushing en passant par Carillon.

Quelques décennies après la Conquête, la région est arpentée et divisée en cantons. Dès la fin du XVIIIe siècle, la région de Carillon reçoit des colons américains, puis c'est au tour de Saint-André-Est et du canton de Chatham vers 1799. Les nouveaux venus s'adonnent à la coupe du bois et produisent de la potasse. Mais vers 1812, ce premier effort de colonisation stagne pour des raisons politiques et aussi à cause de l'épuisement des ressources forestières. C'est alors que d'autres immigrants en provenance des îles Britanniques prennent la relève dans les décennies suivantes. Ces trois localités – Saint-André-Est, Carillon et Cushing –, dont le développement présente des

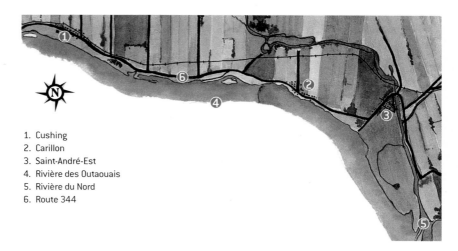

1. Cushing
2. Carillon
3. Saint-André-Est
4. Rivière des Outaouais
5. Rivière du Nord
6. Route 344

similitudes en ce qui concerne le peuplement et l'origine des premiers colons, ont pourtant chacune gardé leurs particularités.

Un petit hameau se forme à Saint-André sous l'égide d'un premier colonisateur, Hezekiah Clark, un Américain du Vermont arrivé en 1798. Une trentaine de familles occupent les lieux en 1803 et, à ce contingent, s'ajoutent des Écossais dans les années 1820 à 1840. Des édifices significatifs font leur apparition : le premier moulin à papier au Canada en 1804, l'église anglicane Christ Church en 1819 et le manoir de Sir William Johnson sur une pointe tout près de la rivière du Nord. Le village de Saint-André, créé en 1845, a emprunté son nom au patron des Écossais protestants.

Carillon connaît sensiblement les mêmes mouvements migratoires. Cependant, des travaux importants de canalisation transforment son paysage. Entre Saint-André et Grenville, sur une distance d'environ 16 kilomètres, trois rapides ont traditionnellement contraint les anciens coureurs des bois et les voyageurs de fourrures à un portage. Pour des raisons stratégiques, les autorités britanniques décident de canaliser cette section de l'Outaouais.

Cushing, Carillon ainsi que Saint-André-Est occupent la frange nord de l'Outaouais, une région naturelle de basses terres située au sud des Laurentides.

Commencés par le capitaine J. F. Mann des Ingénieurs royaux en 1818, les travaux sont terminés vers 1928. La caserne de Carillon, bâtie en 1829, assoit solidement l'influence d'une architecture néo-classique sévère, typique du style des ingénieurs militaires britanniques.

Le canton de Chatham, qui inclut Cushing, se peuple grâce aux efforts du colonel Robertson, un militaire avant tout grand propriétaire terrien. Des Américains puis des Écossais introduisent une architecture et des établissements de fermes ressemblant à ceux que l'on voit dans les Cantons-de-l'Est. Ce noyau, qui devient un petit hameau en 1820, prend le nom de Cushing, celui d'une des premières familles à s'établir à cet endroit.

La plupart des maisons de pierre de Cushing utilisent un calcaire local de la formation de Beekmantown. Des gisements à ciel ouvert surgissent d'ailleurs le long de la rivière des Outaouais jusqu'à Grenville. À grain fin, dur et fragile, cette pierre tourne au brun boueux ou au brun fauve lorsqu'elle est exposée à l'air. D'où cet aspect insolite des gros moellons dont sont faits les murs des bâtiments de Cushing, et ce trait particulier de l'architecture locale. Dans la région, le progrès connaît un net ralentissement dès la seconde moitié du XIXe siècle. En 1857, une voie ferrée contourne sur environ 18 kilomètres la section des canaux, ce qui permet de transférer des marchandises sur une petite voie ferrée joignant Carillon à l'est et Grenville à l'ouest. En 1876, la ligne de chemin de fer du Québec, Montréal Ottawa et Occidental est ouverte dans l'arrière-pays et passe par Lachute. Ce contournement porte un coup fatal à la région riveraine en déplaçant l'activité économique vers cette ville. Privée d'un stimulant économique important, la région stagnera.

Aujourd'hui, le développement urbain a tout de même modifié irréversiblement la partie est de Saint-André-Est, ne laissant qu'un secteur digne d'intérêt, le quartier résidentiel du côté ouest de la rivière du Nord. Quant au tronçon de route allant de Carillon à Cushing, sa situation décentrée par rapport aux voies régionales de communication a probablement contribué à le préserver. Quelques constructions récentes n'ont guère modifié l'aspect du cordon d'habitations très espacé à travers des paysages agraires et naturels. Avantageusement placé en bordure de l'Outaouais, ce secteur semble adopter une vocation de villégiature axée sur la navigation de plaisance.

(Ci-contre) La rivière du Nord sépare le village en deux parties.

(p. 136-137) La rivière des Outaouais, et sa bordure nord, où s'éparpillent quelques établissements humains apparus au XIXe siècle.

> Saint-André-Est*

La partie de Saint-André-Est située du côté ouest de la rivière du Nord a conservé son charme d'antan. Sur le côté nord de la rue Saint-André, un alignement clairsemé formé de quelques maisons est dominé par le site de l'église anglicane Christ Church (MH). Ce temple a été construit en 1819 dans un style apparenté au classicisme baroque anglais.

Du côté sud de la rue Saint-André, quatre petites rues forment l'essentiel d'une trame villageoise surtout composée de cottages en brique rouge ou en bois du XIXe siècle.

1. Église Christ Church
2. Rue Saint-André
3. Rue Queen
4. Rivière du Nord

De jolies rues bordées d'arbres et de maisons de différents styles traversent la partie ouest de Saint-André-Est.

* Secteur ouest.

De belles résidences victoriennes mettent en valeur un alignement ou un coin de rue.

Au XIXe siècle, les travaux de canalisation de l'Outaouais nécessitèrent la venue d'un important contingent de militaires. Plusieurs d'entre eux s'établirent à Saint-André-Est et se firent construire de belles maisons au goût du jour. Témoin cette élégante résidence en brique érigée en 1840 pour un officier.

L'église anglicane et le cimetière occupent un beau site agrémenté d'un grand terrain.

Laurentides ▶ Saint-André-Est

> Carillon

Malgré la détérioration de son tissu villageois ancien, Carillon se distingue encore par la présence de quelques bâtiments exceptionnels. L'ancienne caserne, d'allure sévère, a été construite en 1820 par les ingénieurs du roi et sert aujourd'hui de musée.

Non loin de là, quelques maisons de la même époque se distinguent par la qualité de leur construction. Sur des surfaces murales en brique rouge se détachent des encadrements de baies et des chaînages d'angle en calcaire brun. La maison Desormeaux (36-38, rue Principale, MH) est particulièrement bien conservée. Tout porte à croire qu'elle aurait été construite vers le milieu du XIXᵉ siècle et qu'elle aurait été utilisée comme auberge par son premier propriétaire, James Barclay, un Écossais qui a acquis plusieurs édifices à Carillon. La rigoureuse symétrie de sa composition et son vocabulaire architectural la rattachent à un néo-classicisme en vogue en Nouvelle-Angleterre.

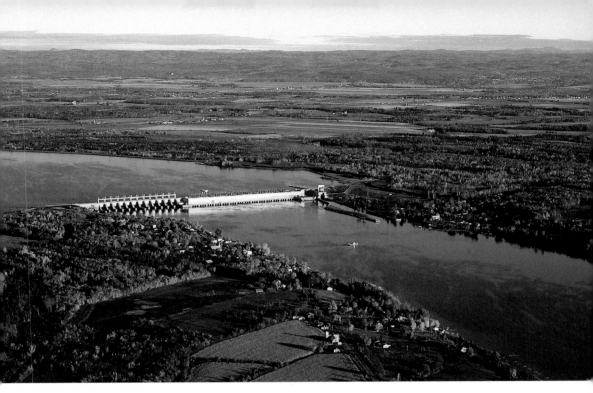

À l'entrée est de
Carillon, on découvre
soudainement la
caserne militaire
transformée en musée.

Carillon et son barrage.

Porte d'entrée de la
caserne, dans le
plus pur style
néo-classique, tel
que conçu par les
ingénieurs militaires
de l'armée britannique
au début du XIXᵉ siècle.

La route principale menant à Carillon.

Une entrée de style dorique de la maison Desormeaux.

La maison Desormeaux et d'autres constructions du village dénotent l'influence de l'architecture militaire sur l'architecture résidentielle.

ADRESSE UTILE

M Le **Musée d'Argenteuil,** le long de la route principale. Collection d'artefacts des premiers colons et collections d'archives.

Tél. : 514-537-3861

Laurentides ▲ Carillon

143

> # Cushing

De part et d'autre de la route principale se dressent plusieurs bâtiments importants en pierre de couleur brunâtre, dont le magasin général, qui les domine par sa masse imposante. Cet édifice remarquable, fait de gros moellons équarris et de pierre de taille, a subsisté dans un état d'intégrité exceptionnel. Sa construction est attribuée à Lemuel Cushing, en 1820.

En suivant la route principale, on remarque un dégagement subit sur l'Outaouais. La végétation moins dense permet de voir l'église St. Mungo et son cimetière, curieusement disposé le long de la route en face du temple. Cette église trapue, qu'on dirait surgie des profondeurs de l'Angleterre, a pourtant été construite en 1836. Le style néo-gothique est surtout frappant dans la tour de façade, dont la base est percée d'une porte unique à ogive. Une petite maison en pierre de l'autre côté de la route aurait servi de premier presbytère. Le second, datant de 1862, est un édifice en brique rouge beaucoup plus gracieux érigé du même côté de la route sur un beau site un peu plus à l'ouest. Toujours un havre de paix, il se destine à l'accueil des âmes en quête de repos mais avant tout à celui des gens de passage, puisqu'il a été transformé en un agréable gîte.

Parmi les grandes résidences de Cushing, une curieuse maison en pierre de style néo-gothique se cache derrière une végétation abondante. Elle est unique, car les constructions de ce style, surtout caractéristique de la période allant de 1840 à 1880, ne comportent que rarement une façade où deux ailes encadrent une entrée centrale.

La route 344, bordée de bâtiments épars, traverse Cushing et en forme la seule artère.

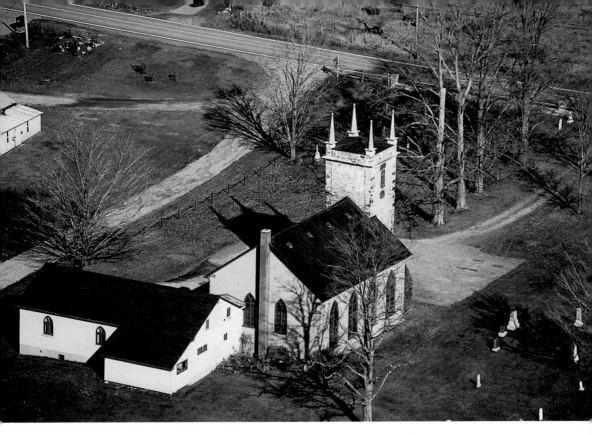

L'église St. Mungo et son cimetière en façade.

L'église St. Mungo, avec ses murs de grosses pierres et son clocher massif de style néo-gothique, semble provenir de la campagne anglaise.

L'ancienne résidence de James Cushing.

L'ancienne église St. Giles.

L'ancien presbytère St. Mungo a été reconverti en gîte du passant.

Une ancienne résidence construite vers 1815-1817.

L'ancien magasin général de Lemuel Cushing abrite un commerce. C'est un bâtiment exceptionnel par son gabarit, par la richesse de ses matériaux et par son état de conservation.

ADRESSE UTILE

L'auberge L'étape, 116, route des Outaouais. Un gîte dans l'ancien presbytère de l'église St. Mungo.
Tél. : 514-562-5715

Île de Montréal

Senneville

Faut-il parler uniquement de l'exception, ou faut-il expliciter la règle qu'elle confirme ? En effet, comment comprendre la présence d'un village sur l'île de Montréal, cette forme d'implantation remontant à une époque ancienne, dans la plus importante région administrative du Québec actuel, qui regroupe près de deux millions d'habitants ? Des 29 entités municipales qu'on dénombrait avant les fusions de 2002 sur le territoire montréalais, 27 étaient des villes (ou cités), une autre était une paroisse et la dernière... un village qui s'appelait Senneville. Celui-ci fait évidemment figure d'exception. Est-ce l'ultime endroit où des cultivateurs endurcis se sont retranchés,

ou s'agit-il d'une commune à vocation ésotérique ? Pas du tout ! Au contraire...

Issue d'un premier établissement français fondé par le sieur de Maisonneuve en 1642, Montréal est devenue à partir du début du XIXe siècle la métropole du pays, après que le commerce y eut connu un essor considérable. La révolution industrielle amorcée au cours de ce siècle a été marquée par l'accroissement significatif d'une population ouvrière canadienne-française et irlandaise, dominée par la haute bourgeoisie anglophone. En 1851, outre un noyau urbain concentré près du port, l'île comptait plusieurs paroisses et villages reliés par des

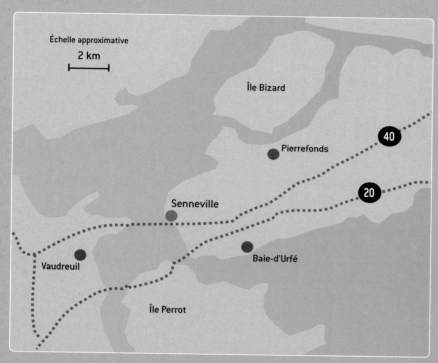

Échelle approximative

2 km

Île Bizard

40

Pierrefonds

20

Senneville

Vaudreuil

Baie-d'Urfé

Île Perrot

© Yves Laframboise

côtes et des chemins. Certaines vieilles maisons en pierre qu'on remarque encore de nos jours, situées en bordure d'axes urbains comme le chemin de la Côte-Saint-Antoine dans Notre-Dame-de-Grâce ou le boulevard Gouin dans l'est, témoignent d'une vie rurale qui a disparu rapidement. Comme l'urbanisation s'est poursuivie au début du XIXe siècle, cela aurait laissé présager la disparition pure et simple de ces villages, n'eût été d'un facteur nouveau. En effet, l'attrait qu'exerçait le fleuve auprès des citadins, notamment à l'extrémité ouest de l'île, face au lac des Deux-Montagnes, attira des gens de la grande bourgeoisie qui y construisirent des demeures somptueuses. Aujourd'hui, plusieurs constructions regroupées de part et d'autre d'une ancienne côte, le chemin de Senneville, forment encore, malgré la fusion de 2002, un regroupement linéaire unique de type villageois sur l'île de Montréal.

Île de Montréal

❯ Senneville

L'allée des seigneurs

Situé stratégiquement à l'extrémité ouest de l'île de Montréal, face au lac des Deux-Montagnes, le site du village de Senneville est d'abord occupé par les militaires. En 1703, ils y construisent un fort sur une petite pointe. Les Américains le détruiront en 1776. Au XVIIIᵉ siècle et au début du XIXᵉ siècle, le territoire s'ouvre pour l'essentiel à l'exploitation agricole familiale. Des rotures de 3 arpents sur 30 s'alignent en bordure d'une voie riveraine, la côte Sainte-Anne, partie de la paroisse du même nom. Cette occupation explique certains des traits marquants du paysage actuel. De grosses maisons en pierre à toit à deux versants, survivantes de cette période agricole intense, parsèment les abords du chemin principal. Quant à la morphologie générale de l'agglomération, elle n'a à peu près pas évolué. L'ancienne côte demeure l'unique artère traversant le village d'un bout à l'autre. Elle forme un ruban linéaire, sinueux, sans noyau de services ni aire institutionnelle.

À la fin du XIXᵉ siècle, à l'époque où l'engouement pour la nature gagne les classes bourgeoises, l'extrémité ouest de l'île de Montréal attire l'attention des citadins à cause de sa proximité avec le centre urbain et de son emplacement avantageux en bordure d'une belle nappe d'eau. Plusieurs grands capitalistes et banquiers de Montréal, qui se côtoient déjà dans les conseils d'administration de banques et dans les clubs privés, s'intéressent à l'endroit. À l'exemple de

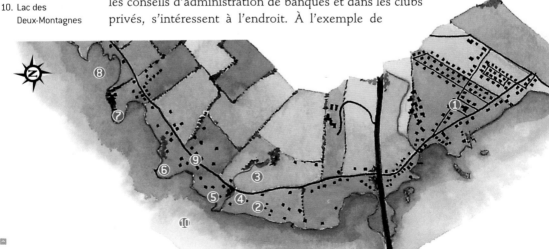

Dorval et de Baie-d'Urfé, le territoire de Senneville voit la construction de grandes résidences de villégiature et de maisons très luxueuses. Les frères Maxwell, à l'époque des architectes renommés dans tout le Canada et dans une partie des États-Unis, ont leur bureau à Montréal. On les charge de concevoir et de dessiner plusieurs grandes réalisations pour des particuliers bien nantis, entre autres : James Bryce Allan, D. F. Angus, Richard Bladworth Angus, Guy Boyer, Edward Seaborne Clouston (maison Boisbriant), Louis Joseph Forget, A. H. Grier, Dumont Laviolette, Charles Meredith, R. McDougall Patterson, Waldo W. Skinner et F. L. Wanklyn.

Certains de ces propriétaires retiennent plus l'attention. R. B. Angus, né en Écosse en 1830, est un homme d'affaires actif dans l'administration de grandes banques et de compagnies ferroviaires canadiennes. Il fait construire Pine Bluff, un petit château de style Renaissance française. E. S. Clouston est banquier. Sa maison, Boisbriant, adopte l'allure d'une résidence princière. Intéressé d'autre part par les ruines du fort Senneville, il s'engage dans la conservation et la préservation d'objets divers reliés à son histoire. Quant au sénateur Louis Joseph Forget, il œuvre à l'époque dans les milieux de la haute finance, notamment le milieu ferroviaire.

Le territoire, qui obtient le statut de municipalité en 1895, se mue en prestigieux centre de villégiature dont les propriétés appartiennent aux gens de la grande bourgeoisie montréalaise. Derrière ces haies, ces murs de pierre, ces porches d'entrée somptueux, des villas, de grandes demeures bourgeoises, des petits châteaux et des domaines se cachent sous une végétation dense. On y pratique les sports en vogue : golf, tennis, pêche, canotage et baignade. Aujourd'hui, Senneville reste un phénomène surprenant : c'est le seul village de l'île de Montréal. Ses caractères d'origine n'ont pas été altérés et ses habitants, conscients de leur spécificité, veillent jalousement au maintien de leurs acquis.

Les rives du lac présentent une bordure irrégulière formée d'avancées et de retraits successifs. On remarque sur cette photo la silhouette d'un vestige reconstitué du fort de Senneville.

La rue principale

Dépourvu de noyau central, sans aires de services ni espaces publics, le village de Senneville forme une allée dortoir au caractère très privé. Une simple balade le long de cette voie suffit pour s'imprégner de l'ambiance des lieux. On note l'abondante végétation de part et d'autre de la route, les nombreux murs d'enceinte en pierre et les porches d'entrée s'ouvrant sur des couloirs qui semblent s'évanouir au milieu d'aménagements de verdure.

« … les rives de la superbe nappe d'eau (lac des Deux-Montagnes) pittoresquement découpées en pointes, en baies, en îles, ont été accaparées par de somptueuses résidences qui en écartent les foules. Senneville ne comporte ainsi que 20 à 25 maisons cossues perdues dans les arbres de vastes parcs et que viennent entretenir les journaliers du village. Il s'agit ici de la plus aristocratique villégiature de Montréal. »

Raoul Blanchard, *L'ouest du Canada français*, 1953

Les constructions d'allure aristocratique de Senneville sont inspirées des grands styles les plus connus, notamment de ceux d'Italie.

Quelques maisons de ferme rappellent que Senneville a été à l'origine une localité vouée à l'agriculture.

Le cottage de Pine Bluff (Richard B. Angus, 216 à 218, chemin Senneville). L'une des trois dépendances qui subsistent du domaine Pine Bluff.

Il suffit de contempler, le long du chemin de Senneville, les piliers d'entrée des grandes demeures pour mesurer avec exactitude l'ampleur des constructions cachées dans les méandres d'aménagements de parcs privés, de jardins floraux et de bocages. Les piliers sont généralement en pierre, un matériau réputé pour défier les siècles. Certains se composent de simples cailloux assemblés rustiquement, d'autres de moellons grossièrement équarris. Les plus nobles utilisent la pierre taillée, ornée de motifs sculptés.

Deschambault
Cap-Santé
Neuville
Saint-Jean
Sainte-Pétronille
Lotbinière

Environs de Québec

Les environs de Québec comptent parmi les plus anciens territoires de toute la province en ce qui a trait au peuplement. Dès 1608, Champlain avait établi une première habitation sur le site actuel de la place Royale, dans la basse-ville de Québec. À la fin du XVIIe siècle, on entreprit la colonisation des terres sur les rives du fleuve, à l'est et à l'ouest de la ville.

De façon générale, les anciens territoires de peuplement se trouvent dans les basses terres du Saint-Laurent. Cette vaste plaine, qui longe le fleuve à partir de Montréal et s'étend sur les deux rives, inclut la région de Portneuf sur la rive nord du fleuve, Lotbinière sur la rive sud et, après avoir traversé toute la côte de Beaupré, va mourir au pied du cap Tourmente. L'île d'Orléans, qui appartient à la région naturelle des basses terres appalachiennes, fait exception. De grandes ondulations caractéristiques de cette étendue de terre dominent le paysage, ce qui explique sa forme molle, ses pentes douces et l'absence de falaises.

Habitée depuis des siècles, la région de Québec comporte les spécimens architecturaux les plus anciens de la province. Malheureusement, le développement urbain survenu en périphérie de la capitale tend à noyer cette architecture dans de nouveaux ensembles peu homogènes,

ce qui altère la qualité de certains villages. La région comporte trois sous-régions où la qualité des paysages villageois s'est relativement bien conservée : c'est le cas de l'île d'Orléans, de la région de Portneuf et de celle de Lotbinière.

Encore de nos jours, les villages de l'île d'Orléans conservent les traces évidentes du peuplement français des XVIIe et XVIIIe siècles, mais certains plus que d'autres ont su préserver remarquablement leur intégrité. Ainsi avons-nous retenu Saint-Jean, un ancien village agricole et maritime, et Sainte-Pétronille dont l'expansion plus récente est liée à l'essor des activités de villégiature.

Dans Portneuf, un air de famille caractérise l'architecture. Les maisons – dont certaines parmi les plus anciennes au Québec – sont faites en pierre calcaire, un matériau abondant dans le sous-sol de cette région, notamment à Saint-Marc-des-Carrières et à Neuville. On trouve à Deschambault, à Cap-Santé et à Neuville de nombreux bâtiments des XVIIe et XVIIIe siècles aux murs montés en moellons grossièrement équarris, coiffés de toits pentus, massés autour de très anciennes places d'église, ou disposés le long de l'ancien chemin du Roy. Ces ensembles sont uniques.

Sur la rive sud du fleuve, la région de Lotbinière offre un joli ruban de villages également très

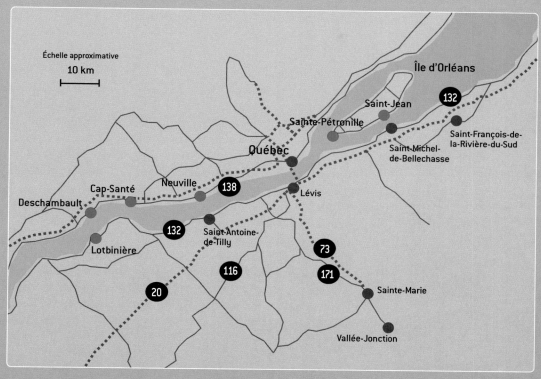

Échelle approximative

10 km

Île d'Orléans

Saint-Jean

132

Sainte-Pétronille

Saint-François-de-la-Rivière-du-Sud

Québec

Saint-Michel-de-Bellechasse

Cap-Santé

Neuville

138

Lévis

Deschambault

132

Saint-Antoine-de-Tilly

73

Lotbinière

116

171

20

Sainte-Marie

Vallée-Jonction

© Yves Laframboise

anciens. Presque exclusivement à vocation agricole, cette région conserve encore clairement les traces laissées dans son paysage par le système seigneurial. Après avoir quitté Québec, on traverse les villages de Saint-Antoine-de-Tilly, de Sainte-Croix, un ancien foyer industriel, et on arrive enfin à Lotbinière, village agricole organisé autour de l'une des plus belles places d'église de toute la région.

❯ Deschambault

Un cap rocheux qui défie le cours du temps

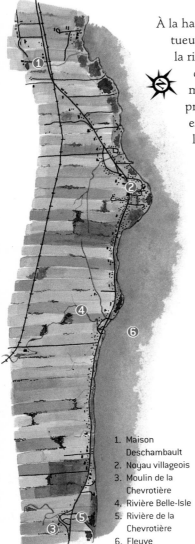

1. Maison Deschambault
2. Noyau villageois
3. Moulin de la Chevrotière
4. Rivière Belle-Isle
5. Rivière de la Chevrotière
6. Fleuve Saint-Laurent

À la hauteur de Lotbinière, le fleuve Saint-Laurent fait un détour majestueux et défile devant deux vigiles ancestrales, la Pointe-au-Platon sur la rive de Lotbinière et l'éperon rocheux de Deschambault sur la rive de Portneuf. La pointe de Deschambault forme un promontoire massif abritant l'essentiel du noyau villageois ancien. La vue que procure cet endroit – sur le fleuve et sur les rapides Richelieu juste en face – en fait un point stratégique comme l'ont d'ailleurs signalé les grands voyageurs et les militaires.

Alors qu'à certains endroits, l'ancien tracé du chemin du Roy épouse scrupuleusement les rives sinueuses du Saint-Laurent, il s'en écarte inexplicablement à la hauteur de Deschambault en évitant sa pointe. Une petite rue s'y aventure, forme une boucle et réunit les édifices publics du village dominés par l'église et par une grande place. Sur le cap Lauzon se dressent fièrement les bâtiments paroissiaux: l'église et son cimetière, le Vieux Presbytère, le presbytère actuel, le couvent et la salle des habitants.

Le village entier et les sols cultivés des environs reposent sur une grande formation de roche sédimentaire, le calcaire de Trenton, d'ailleurs largement utilisé dans les constructions locales. Ce matériau se présente sous la forme de moellons presque à l'état brut dans les maisons rurales, de moellons grossièrement équarris dans certaines résidences plus soignées, ou de pierres taillées pour l'église. D'apparence grisâtre, plutôt terne, ce calcaire donne aux constructions un aspect sévère et massif.

La présence de maisons très anciennes à Deschambault s'explique par l'arrivée de premiers défricheurs qui se sont établis dès 1674 et par la fondation d'une paroisse en 1712. L'agriculture a dominé la vie économique de Deschambault pendant des siècles. En 1871, le village était le plus gros producteur de blé, d'avoine et de sarrasin dans le comté de Portneuf. Au milieu du XIXe siècle, alors que la construction résidentielle en pierre subissait partout une régression marquée par rapport au

bois, Deschambault comptait encore 61 maisons en pierre, un patrimoine considérable acquis au cours du siècle précédent.

L'emplacement stratégique du village et la présence de rapides ont attiré l'attention de plusieurs visiteurs célèbres. En septembre 1535, Jacques Cartier, arrêté par les eaux tourbillonnantes, y fit une halte et dut attendre la marée haute. Lors de son passage en juin 1603, Champlain s'étonna de voir à quel point les rapides sont dangereux à cet endroit. En 1633, il établit sur un îlot rocheux un poste de traite. Un siècle plus tard, en 1759, le brigadier James Murray, lieutenant de Wolfe, pilla avec mille hommes de troupe la maison du major Perrot, mais dut se retirer peu après. Le site fut le théâtre d'autres péripéties militaires l'année suivante. Treize ans plus tard, alors que la Nouvelle-France était devenue une colonie anglaise, des Yankees remontant de Montréal remirent en état d'anciens retranchements français, mais durent se retirer au mois de mai, lors de l'abandon du siège de Québec.

La partie la plus ancienne de Deschambault occupe le cap Lauzon, une avancée rocheuse dans le fleuve Saint-Laurent.

L'église (MH)

Il s'agit de la deuxième église, construite de 1835 à 1839 d'après les plans de Thomas Baillairgé dans le style néo-classique. Les clochers actuels ont malheureusement été ajoutés en 1956. L'intérieur, de facture sobre, conçu par Baillairgé, a été réalisé par André Paquet dit Lavallée, l'un des disciples de l'architecte.

Le Vieux Presbytère (MH)

Cet édifice à la silhouette dépouillée, même s'il a été construit en 1816, évoque parfaitement l'essentiel des formes de l'architecture coloniale française.

Le couvent

Destiné à l'enseignement aux jeunes filles, ce couvent, qui fut inauguré en 1861, a perdu son toit original au profit d'un toit brisé.

La salle des habitants

Cette grande maison a d'abord servi à accueillir des fidèles qui voulaient se reposer, puis aux réunions du conseil municipal. Enfin, elle a abrité une salle de réunion et le logement du sacristain. Après avoir été abandonnée en 1974, la salle des habitants a été reconvertie plus tard.

L'ancien presbytère de Deschambault, construit en 1816.

Les maisons et bâtiments d'utilité publique

Plusieurs bâtiments remarquables doivent être mentionnés : l'auberge Chemin du Roy (106, rue Saint-Laurent), l'ancien relais de poste (260, chemin du Roy), la maison Groleau (200, chemin du Roy, MH), la maison Delisle (172, chemin du Roy, MH), ancienne propriété du major Perrot pillée par les Anglais en 1759, et la maison Nelson-Sewell (106, chemin du Roy, MH).

Le moulin de La Chevrotière

À cinq kilomètres du village, un peu à l'écart de la route, ce moulin qui se trouve dans un beau décor champêtre peut inspirer ceux qui s'initient à la peinture du paysage. Outre cet édifice construit en 1802, le site comporte aussi des bâtiments secondaires, un sentier aménagé le long de la rivière La Chevrotière et de belles maisons anciennes très bien conservées.

Le cap rocheux et les bâtiments institutionnels.

Le moulin de la Chevrotière.

La maison Deschambault, dont la construction remonte au début du XIXe siècle, est aujourd'hui transformée en auberge.

L'auberge Chemin du Roy, une construction victorienne sise sur le bord de la rivière, à l'endroit où ce chemin contournait l'embouchure de la rivière Belle-Isle.

Le moulin de la Chevrotière, un magnifique bâtiment construit en 1802 sur la rive de la rivière La Chevrotière.

Le charme des vieilles fenêtres, un mystère encore à expliquer...

Bordée des deux côtés de belles propriétés villageoises, la rue principale évoque l'opulence de jadis.

L'auberge la Maison de la veuve Groleau sur le chemin du Roy.

« La pointe de Deschambault est d'une élévation considérable [...] L'église est bâtie sur cette pointe et, sur le sommet de l'extrémité saillante, il y a un superbe bosquet de pins. »

Joseph Bouchette, 1815

« Cette pointe de Deschambault, où l'église est bâtie, est d'une élévation considérable et se prolonge jusque dans le fleuve, au rapide du Richelieu. En cet endroit, le fleuve forme un grand coude qui présente à la vue une scène de paysage des plus pittoresques. Bouchette mentionne que cette pointe était autrefois une sorte de poste militaire, et qu'en 1759 les Français y avaient une batterie pour défendre ce passage de la rivière contre toute force ennemie qu'on aurait voulu envoyer plus haut. En effet, cette situation bien fortifiée, de même que les hauteurs du Platon, sur le rivage opposé, seraient capables de dominer le passage, et avec les difficultés du rapide du Richelieu, l'ennemi ne pourrait essayer de le forcer sans que l'entreprise lui devînt très désastreuse. »

Stanislas Drapeau, 1863

Les rives et le quai.

L'église et ses deux presbytères, l'ancien (1816) et le nouveau (1872).

L'enseigne de l'ancien magasin général Paré, en affaires depuis 1866.

! Le site du **moulin de la Chevrotière**, rue de Chavigny, tout près de la route 138. Endroit magnifique à visiter surtout en marchant le long de la rivière.

H **L'auberge Chemin du Roy**, 106, rue Saint-Laurent. Une grande résidence victorienne sur un site charmant traversé par la rivière Belle-Isle. Tél. : 418-286-6758

L'auberge La Maison Deschambault, 128, chemin du Roy. Autre endroit magnifique avec un étang ceint de peupliers. Tél. : 418-286-3386

L'auberge Maison de la veuve Groleau, 200, chemin du Roy. Dans une belle maison classée monument historique. Tél. : 418-286-6831

▶ Cap-Santé

À l'ancienneté des villages s'allie la beauté des paysages des basses terres du Saint-Laurent

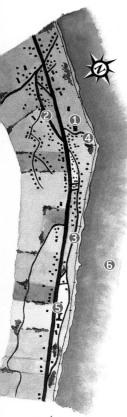

1. Église
2. Rue du Roy
3. Vieux-Chemin
4. Rue du Quai
5. Route 138
6. Fleuve Saint-Laurent

Du sud de Québec jusqu'à la région du lac Saint-Pierre, le bord du fleuve a constitué dès la fin du XVIIe siècle un milieu naturel favorable à l'implantation humaine. Plusieurs petits villages aux noms français évocateurs se sont perchés sur le haut des versants, comme à Lotbinière, ou sur des terrasses pittoresques créées par la mer de Champlain, comme à Neuville et à Cap-Santé. Aujourd'hui, il reste de ce dernier village le noyau ancien, implanté à mi-hauteur sur la frange des basses terres du Saint-Laurent. Une église du milieu du XVIIIe siècle domine de sa silhouette blanche et argent un chapelet de maisons réparties de part et d'autre du Vieux-Chemin. Encore aujourd'hui, elle est le point de repère le plus frappant de Cap-Santé. Se trouvant en contrebas de la route 138, elle semble veiller sur ses ouailles comme une poule sur ses poussins. De fait, en face se nichent de part et d'autre du Vieux-Chemin, sous une abondante végétation, de belles maisons ancestrales formant des alignements pittoresques. Ici et là, des dégagements entre les habitations offrent des vues intéressantes sur la voie ferrée du Canadien National, sur le fleuve et sur la rive sud, à la hauteur du comté de Lotbinière. L'ancien chemin du Roy, long fil sinueux serpentant sur les berges du fleuve, empruntait autrefois le parcours de l'actuel Vieux-Chemin et, traversant la route 138, se prolongeait plus haut par la rue du Roy.

Le peuplement de Cap-Santé remonte à la fin du XVIIe siècle : les premiers colons s'y établissent en 1685. Jusqu'à la Conquête, l'économie est axée sur l'agriculture, la pêche et l'industrie du bois, marginale à l'époque. Mais au XIXe siècle, cette dernière prend de l'essor et de nombreux chantiers et moulins à scie apparaissent sur le territoire. Néanmoins, le village périclite au tournant du siècle sous l'effet conjugué de plusieurs facteurs : une baisse notable des activités dans l'industrie du bois, l'ouverture du chemin de fer, la disparition des ponts de glace à cause de l'ouverture du fleuve à la circulation hivernale, et l'introduction du grain en provenance de l'Ouest canadien. Aujourd'hui, Cap-Santé a conservé sa vocation agricole, mais son développement global est assujetti au rythme de croissance de sa voisine, la ville de Donnacona, le nouveau pôle économique de la région.

Le site du noyau villageois ancien, en bordure du fleuve.

Un peu de biais par rapport à Cap-Santé, de l'autre côté du fleuve, on aperçoit Pointe-Platon et la campagne de Lotbinière.

Le noyau institutionnel et le site de l'église (SH)

Le noyau institutionnel est formé de l'église (MH) et du presbytère. L'église actuelle, second temple sur les lieux, a été érigée entre 1755 et 1762. Son intérieur s'enorgueillit de réalisations exceptionnelles : des statues de Marie et de Joseph sculptées par l'atelier des Levasseur vers 1775, un tombeau d'autel réalisé par Louis-Amable Quévillon entre 1803 et 1809, un tabernacle de style baroque de Louis-Xavier Leprohon datant de 1842 ainsi que des tableaux de Joseph Légaré et d'Antoine Plamondon.

Le presbytère actuel, le quatrième à être bâti à cet endroit, a été conçu par l'architecte Charles Baillairgé et construit en 1849. À l'arrière de l'église, un très beau cimetière, partiellement ceinturé par une clôture en fer forgé, occupe un site parsemé d'arbres d'où l'on a une vue imprenable sur le fleuve.

Le Vieux-Chemin

Ce petit chemin ceinturé d'arbres forme une arche presque opaque aux plus beaux moments de la floraison. Il est bordé par de belles maisons anciennes, certaines en pierre, d'autres en bois. On y trouve aussi quelques maisons et chalets de villégiature construits au XXe siècle.

Au numéro 56 de cette vieille artère, se trouve la maison de Mlle Bernard. C'est à la fois un gîte du passant, une boutique, un salon de thé et un lieu d'interprétation, car sa propriétaire actuelle reçoit les visiteurs sur

L'église Sainte-Famille de Cap-Santé compte parmi la douzaine de temples datant de la période coloniale française qui subsistent au Québec. Le presbytère en bois a été construit en 1849.

rendez-vous. Elle propose à ses hôtes une présentation costumée de l'histoire des lieux et de ses habitants qu'elle complète par une visite guidée.

La rue du Quai

Un petit chemin au tracé courbe traverse la voie ferrée du Canadien National, conduisant au quai d'où l'on a une vue panoramique sur le fleuve et sur la rive opposée.

La rue du Roy

Vestige de l'ancien chemin du Roy, la rue du Roy forme le prolongement historique du Vieux-Chemin. Son tracé irrégulier, qui épouse la pente du terrain, rappelle les difficultés de parcours des anciennes routes riveraines.

Un alignement de maisons le long du Vieux-Chemin, vestige du chemin du Roy.

La place de l'église occupe une sorte de plateau intermédiaire en surplomb par rapport au fleuve.

*Une vue de l'église
depuis la rue du Roy.*

*Pique-nique
au village.*

*La maison de
Mlle Bernard.*

Une maison du XVIIIᵉ siècle, typique de l'architecture de ce territoire municipal.

Le Vieux-Chemin forme une belle allée bordée de maisons séculaires sur une terrasse intermédiaire. C'est un vestige de l'ancien chemin du Roy.

La maison Boivin.

Décor d'automne.

Pendant la saison estivale, des visites organisées de l'église ont lieu.

ADRESSE UTILE

La Boutique de Mlle Bernard, 56, Vieux-Chemin. Boutique, salon de thé, visite guidée et animation avec costumes d'époque.
Tél. : 418-285-3276

Environs de Québec

179

Neuville

Une histoire inscrite dans la pierre

Rarement peut-on voir dans la vallée du Saint-Laurent un village dont le paysage soit aussi redevable à son milieu physique. L'agglomération s'étale sur plusieurs terrasses formées à l'ère où le niveau des eaux de la mer de Champlain a baissé et qu'un continent libéré du poids de ses glaces a remonté lentement. Le bourg est concentré sur la terrasse intermédiaire, alors que les terres cultivées, comme le veut la tradition, occupent les terrasses supérieure et inférieure.

Quant au sous-sol, il est constitué d'une grande formation de calcaire de Trenton insérée entre deux formations de schiste. Parsemé à plusieurs endroits de gisements fossilifères, ce calcaire est apprécié dès le régime français. On fait donc l'extraction de la « pierre de Pointe-aux-Trembles », largement utilisée dans la construction locale, mais aussi dans l'érection de plusieurs grands édifices de Québec. Des strates sédimentaires mises à nu ici et là et trois grandes cavités sur le sommet de la dernière terrasse montrent les traces des carrières d'autrefois.

1. Église
2. Couvent
3. Chapelle
4. Maison du Seigneur Larue
5. Maison Angers
6. Maison Fiset
7. Terrasse supérieure
8. Fleuve Saint-Laurent
9. Rue des Érables
10. Route 138

La rue des Érables, vestige de l'ancien chemin du Roy, longe la terrasse intermédiaire de son parcours sinueux. Des maisons en pierre des XVIIIe et XIXe siècles la bordent. À l'étroit, elles occupent ici une hauteur, là un petit plat, ou encore s'agrippent à la pente. Un renflement dominé par l'église, le presbytère, une petite chapelle et un couvent correspond à l'ancien bourg établi en 1754. De ce noyau, deux petites rues pittoresques prennent naissance : la rue Jean-Bourdon commence derrière l'église et grimpe jusqu'à la terrasse supérieure. L'autre rue mène à l'actuelle route 138 et au quai.

Neuville est l'une des plus anciennes paroisses de la Nouvelle-France. Après la concession de la seigneurie de Neuville ou Pointe-aux-Trembles à Jean Bourdon le 15 décembre 1653, les registres sont ouverts plus tard en 1679, et quelques années après, soit en 1684, la première paroisse apparaît. L'économie locale s'organise dès le XVIIe siècle en fonction de la culture des grains, du foin et plus tard de la pomme de terre. Elle connaît aussi une période de construction navale d'une trentaine d'années au milieu du XIXe siècle. Aujourd'hui, Neuville est un endroit recherché des banlieusards, qui y trouvent un lieu charmant où se construire une maison. À vingt minutes de la Vieille Capitale par l'autoroute, le village est aussi réputé pour son maïs, cultivé sur de grandes étendues au sommet de la troisième terrasse. La culture de cette céréale s'inscrit dans la tradition agricole puisque déjà dans la seconde moitié du XIXe siècle, Neuville était le plus grand producteur de maïs du comté de Portneuf.

L'arrière du village est adossé à la terrasse supérieure.

Environs de Québec ▫ Neuville

L'église (MH)

Construite en plusieurs étapes à partir de 1761 pour le chœur, et jusqu'en 1915 pour la façade, cette église renferme 26 toiles, don du peintre Antoine Plamondon. Le chœur, le baldaquin et l'orgue sont des biens culturels classés.

Les maisons de la rue des Érables

En pierre calcaire, classées monuments historiques, ces belles constructions jalonnent les deux côtés de la rue : la maison Fiset (679, rue des Érables), la maison Bernard-Angers (639, rue des Érables), la maison du seigneur Larue (500, rue des Érables) et la maison Charles-Xavier-Larue (218, rue des Érables).

La chapelle de procession

Probablement construite au début du XIXe siècle et dédiée à sainte Anne, cette jolie chapelle faite de moellon local est utilisée lors de processions religieuses. Une statuette de Louis Jobin représentant l'éducation de la Vierge est nichée dans la façade.

Le presbytère, une élégante construction.

Pointe-aux-Trembles
et la route 138

Le long de la route qui traverse Pointe-aux-Trembles, d'autres maisons remarquables classées monuments historiques s'alignent de part et d'autre de l'ancien tracé du chemin du Roy, aujourd'hui la route 138: la maison Denis (vers 1750, 662, route 138); la maison Darveau (vers 1780, 214, route 138); la maison Jobin (vers 1768, 96, route 138); la maison Loriot (au milieu du XVIIIe siècle, 20, route 138) et la maison Adjutor-Soulard (vers 1764, 7, route 138). À proximité de la maison Darveau se trouve l'ancienne maison en bois du peintre Antoine Plamondon.

La chapelle de procession, consacrée à sainte Anne.

Formations rocheuses de part et d'autre du quai

Le sous-sol de Neuville et de la paroisse environnante contient de grandes couches de calcaire gris. Relativement dur, se prêtant à une fine taille, il a servi comme matériau de voirie et aussi pour construire de nombreux édifices publics de la ville de Québec, dont ceux du marché Champlain. De part et d'autre du quai, des affleurements de calcaire de Trenton – une roche largement utilisée dans la construction des maisons locales – renferment divers fossiles de l'Ordovicien, notamment des trilobites.

Le village vu depuis l'ouest.

Quelques maisons rurales et des pâturages occupent les flancs du dernier talus.

Cette belle maison de moellons équarris, avec son toit en pavillon, occupe le côté nord de la rue des Érables.

FENÊTRES DES XVIIIᵉ ET XIXᵉ SIÈCLES

La fenêtre traditionnelle est plus haute que large. Les modèles des XVIIᵉ et XVIIIᵉ siècles, plus étroits, sont divisés en deux battants, eux-mêmes subdivisés en petits carreaux. Les modèles du XXᵉ siècle, plus larges, présentent généralement deux battants dotés de grands carreaux. Des persiennes ont souvent remplacé les contrevents d'origine. Fréquemment ajoutés, les chambranles traduisent les différents goûts stylistiques des époques postérieures à la construction du bâtiment. Dans la seconde moitié du XIXᵉ siècle apparaissent des modèles de fenêtres plus élaborés, souvent formés de plusieurs châssis de formes différentes.

Juché sur le sommet d'une terrasse intermédiaire, le manoir seigneurial Larue, une belle construction du début du XIXᵉ siècle, surplombe la rue des Érables.

La maison F.-X.-Larue, un modèle de construction symétrique, est typique de l'architecture rurale du milieu du XIXᵉ siècle.

La maison Naud, dont le corps principal a été doté d'une rallonge, a été restaurée d'une façon exemplaire.

Les tailleurs de pierre du village ont laissé leurs traces ici et là tant sur les bâtiments domestiques que sur les bâtiments religieux : ici, une corniche massive en pierre taillée orne le sommet d'une entrée principale de maison, là, une pierre sculptée indique l'année de construction d'une résidence. Une chapelle se distingue par ses encadrements de pierre taillée et sa niche. Des pierres d'apparence anodine portent les traces du pic et du ciseau.

Les fermes occupent une partie du territoire villageois, sur des pentes douces.

Les stands de vente jalonnent le bord des routes.

Le sous-sol de Neuville, qui a servi à construire les maisons du village, est particulièrement riche en fossiles. Le calcaire de Trenton recèle de nombreuses espèces recherchées par les paléontologues amateurs, dont le trilobite.

ANTOINE PLAMONDON
1804-1895

Né à Québec, ce peintre s'est initié à son métier auprès de son maître Joseph Légaré en copiant des tableaux européens. Il s'est surtout consacré au portrait. Il avait son atelier dans une petite maison en bois de Neuville. Il veilla à ce que les caractéristiques architecturales de la maison qu'il se fit bâtir correspondent à celles des vieilles maisons observées dans la région. C'est ainsi qu'il eut l'idée de faire placer une grosse cheminée au centre de la maison, selon une manière de construire qui à cette époque avait été abandonnée depuis plus de cent ans déjà. On peut admirer des toiles de l'artiste dans l'église.

⟩ Saint-Jean*

Ancien village de pilotes et de marins, aujourd'hui à vocation agricole et touristique

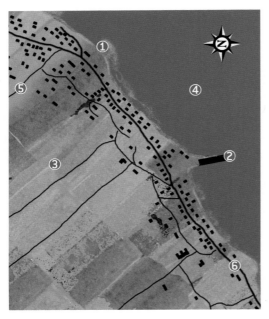

1. Église
2. Quai
3. Île d'Orléans
4. Fleuve Saint-Laurent
5. Route du Mitan
6. Route 368

Terre fertile aux formes douces et légèrement arrondies, l'île d'Orléans émerge du fleuve sur une longueur d'environ 30 kilomètres. Traditionnellement, ses occupants ont pratiqué une agriculture prospère axée sur la pomme de terre, les légumes et les fruits. Bien à l'écart du côté sud, éloigné du seul point d'accès à l'île, Saint-Jean (AH) est un petit village doublement charmant à cause de ses vocations agricole et maritime. À ces activités traditionnelles s'est ajouté le tourisme de villégiature implanté sur des rives aux anses et aux plages accueillantes.

En direction est, la traversée du village amène la découverte de plusieurs paysages différents. D'abord, des bâtiments de villégiature occupent l'extrémité ouest. Puis, au détour d'une courbe de la route riveraine, surgit l'un des plus beaux monuments français du Québec, le manoir Mauvide-Genest. Suit un court espace plus dégagé donnant de nombreux points de vue sur le fleuve. Enfin, on arrive au village après un grand détour. On aperçoit une belle courbe formée de maisons néo-classiques bordées de jolies clôtures ouvragées, face à une grande anse autrefois fréquentée par les baigneurs. Les constructions villageoises se resserrent jusqu'au centre de l'agglomération, dominée par l'église et son cimetière. Derrière la place, un bref tronçon routier et de petites maisons forment le Faubourg-des-Tuyaux. Plus loin, au sommet du talus, les constructions s'espacent et s'éclipsent rapidement au profit d'exploitations agricoles. L'île d'Orléans, dont le peuplement débute véritablement en 1656, voit une dizaine d'années plus tard les colons s'établir un peu partout sur son territoire.

---

* Île d'Orléans.

À Saint-Jean, le village s'implante sur la plaine littorale, comme à Saint-Laurent, la paroisse voisine. Les villageois se sont toujours adonnés à l'agriculture et à des activités maritimes. L'agriculture se distingue par une importante production de pommes de terre ; en 1871, la paroisse de Saint-Jean est le premier producteur du comté de Montmorency. Quant à la vocation maritime qui remonte à une époque lointaine, elle a aussi laissé sa marque. En 1780, des pilotes venus de la région de Charlevoix s'installèrent à proximité de la rivière Lafleur. À une époque subséquente, quelques dizaines habitèrent le village. Des chantiers de construction se développèrent ; au havre de la rivière, on fabriquait des goélettes et des gréements de navires.

Au milieu du XIXe siècle, Saint-Jean est devenu un village prospère abritant une population aisée. En 1852, 73 maisons sur 206 sont en pierre. Un quai est construit en 1858. Les navires de commerce en provenance de Grande-Bretagne y accostent lestés de brique d'Écosse. C'est ainsi que ce matériau de couleur jaunâtre sera utilisé comme parement décoratif sur les façades de plusieurs maisons et laissera sa marque dans le paysage architectural du village.

Aujourd'hui, l'agriculture continue d'être un facteur important dans la vie économique de Saint-Jean. La culture de la pomme de terre et la production

Saint-Jean, un village maritime situé sur le côté sud de l'île.

laitière coexistent avec celle de la fraise. La villégiature progresse toujours et plusieurs citadins y ont leur résidence d'été. Les activités touristiques gravitent autour d'un manoir exceptionnel, qui offre des services de restauration l'été. À proximité, on vend des articles de vannerie de haute qualité inspirés des techniques traditionnelles et fabriqués avec des plantes indigènes.

La place de l'église

La place de l'église, d'où on voit le fleuve et la côte de Bellechasse, comprend plusieurs édifices : le presbytère (1879), la salle des habitants et le cimetière enclos d'un mur de pierre. L'église (MH), qui date de 1734, agrandie à quelques reprises et refaite en façade en 1852 sous la direction de l'architecte Louis-Thomas Berlinguet, est entre autres ornée de tableaux du peintre Antoine Plamondon. Elle a été classée monument historique en 1957. Un circuit pédestre commence à la place de l'église.

Le manoir Mauvide-Genest (MH)

Le manoir a été construit entre 1734 et 1752. C'est une belle résidence seigneuriale dans le style des petites demeures comme on en trouve dans la province française. Le juge Joseph-Camille Pouliot a acheté le manoir en 1926. Il appartient aujourd'hui à

L'église et le cimetière. L'église, construite en 1734 puis agrandie et remaniée, abrite entre autres des toiles du peintre Antoine Plamondon.

une corporation privée qui l'a ouvert au public. Au détour d'une courbe, il fait la rupture entre le bâti de villégiature et noyau villageois.

La maison Pouliot (MH)

L'une des premières maisons de Saint-Jean, elle aurait été construite vers 1811. Gervais Pépin dit Lachance, pilote sur le Saint-Laurent, en fut le premier occupant. Son nom lui vient de la famille Pouliot, à qui elle a appartenu de 1868 à 1975. Elle est représentative des premières habitations françaises de l'île, avec un âtre central donnant dans deux grandes pièces communes. Un incendie l'a partiellement détruite en 1996.

Malheureusement détruite dans un incendie en 1996, la maison Pouliot était l'une des plus anciennes constructions du village.

Visites guidées au manoir.

Les belles maisons néo-classiques

Certaines maisons élégantes ont en commun des traits architecturaux empruntés au néo-classicisme. Des clôtures délicates en bois soulignent les parcelles de terrain et le blanc pur de leurs surfaces murales les fait ressortir dans le paysage villageois.

La plage Saint-Jean

Cette plage – un centre de villégiature important dans les années 1960 – offre aujourd'hui dans son voisinage des services de restauration, d'hébergement et d'activités de plein air.

La route du Mitan

La route 368 ceinture l'île. Ce trajet, emprunté par la plupart des visiteurs, procure de belles vues sur les paysages riverains. Quant à la route du Mitan, elle fera découvrir un paysage inattendu. Traversant l'île à son point le plus large, elle relie le village de Saint-Jean à celui de Sainte-Famille et permet de contempler un immense plateau coupé du reste du monde. L'été, par temps orageux, les foins balayés par le vent y ondulent comme les vagues sur l'océan.

L'école du bas de la paroisse

Cette école a été établie en 1842 pour la population de la partie ouest de la paroisse.

Une sonnette d'antan.

L'école du village.

Le manoir Mauvide-Genest, construit entre 1734 et 1752, a l'allure d'un petit château provincial français. Ouvert au public pendant la saison estivale, il loge un musée et un restaurant.

En entrant dans le village par l'ouest, on remarque ce bel alignement de maisons néo-classiques.

Les entrées principales de maisons du village de Saint-Jean, remarquables par leur qualité et le luxe de leur ornementation, rivalisent d'imagination les unes par rapport aux autres. Elles agissent aujourd'hui comme un révélateur de l'aisance des habitants de ce village insulaire situé, au XIXe siècle, au milieu d'une importante activité maritime. Le principe de leur décor s'appuie sur la présence de deux pilastres latéraux surmontés d'une architrave, d'une frise et d'une corniche. Le vocabulaire architectural emprunte aux ordres antiques et au néo-classicisme, mais il s'abreuve aussi à la fontaine victorienne, prodigue de nombreux mélanges d'ornementation.

Vue aérienne du village vers l'ouest.

La grande anse.

Maisons villageoises.

Parmi les activités traditionnelles qu'on pratique encore à Saint-Jean, il y a la vannerie. Une artiste vannière, Clodet Beauparlant, confectionne selon les méthodes anciennes des paniers, des chapeaux et des objets décoratifs. Ces produits, pourtant rustiques, n'en présentent pas moins des formes simples en harmonie avec l'esthétique contemporaine. Pour fabriquer ces objets, l'artiste utilise des végétaux indigènes tels que le hart rouge, l'élyme, le jonc, certaines fleurs séchées, mais aussi des plantes cultivées comme le blé et le lin.

Les coquettes maisons villageoises sont séparées de la rue par de fines clôtures.

ADRESSES UTILES

A **La Boulange.** Une boulangerie artisanale, située dans l'ancien presbytère à côté de l'église. Excellents produits ! Tél. : 418-829-3162

! **Vannerie l'Élyme.** Dans un kiosque à côté du manoir, de magnifiques chapeaux, paniers et objets décoratifs fabriqués sur place. Tél. : 418-829-3789

M **Le manoir Mauvide-Genest.** Musée et restaurant. Tél. : 418-829-2630

Sainte-Pétronille*

Une enclave de villégiature dont l'architecture traditionnelle est adaptée au milieu maritime

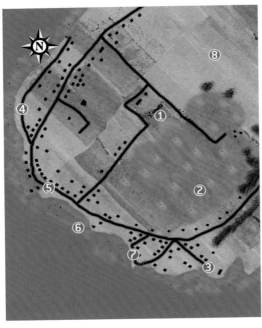

1. Église
2. Golf
3. Rue du Quai
4. Rue Horatio-Walker
5. Chemin du Bout de l'Île
6. Anse aux canots
7. Rue Laflamme
8. Île d'Orléans

Si vous décidez un jour de faire ce fameux tour de l'île d'Orléans, que le gouvernement du Québec présentait déjà en 1929 dans ses guides, vous serez peut-être surpris de découvrir à son extrémité ouest un village tout à fait différent de tous ceux du territoire insulaire. À cet endroit, point de maisons de ferme de part et d'autre de la route, point de bâtiments agricoles éparpillés au milieu de terres cultivées appuyées à des couverts forestiers, et nul chemin rectiligne menant à l'agglomération villageoise typique. En effet, que vous veniez du sud ou du nord, un petit chemin sinueux se glissant adroitement sous des voûtes d'arbres vous amène à une charmante et discrète enclave de villégiature : vous voilà à Sainte-Pétronille (AH), où vous aurez une vue imprenable sur les pointes de Québec et de Lauzon.

Jadis appelé simplement le Bout-de-l'Île, Sainte-Pétronille est le plus ancien lieu de peuplement de cette étendue de terre puisque les premiers Français s'y installèrent en 1648 et y construisirent une chapelle en 1652. Son territoire, qui faisait partie de la paroisse de Saint-Pierre, se détacha de celle-ci et devint un village autonome en 1874. Les premiers chantiers maritimes de l'île apparurent vers 1820. À la fin du XIXe siècle, Sainte-Pétronille attirait un grand nombre de vacanciers séduits par son site exceptionnel au milieu du fleuve. Les habitants, majoritairement de Québec, y possédaient des maisons d'été, des résidences et des villas construites ici et là sur une pointe, au fond d'une anse, adossées à un talus ou alignées le long d'une petite rue ombragée. Certains d'entre eux étaient connus : le peintre Horatio Walker avait son atelier face

---

* Île d'Orléans.

au fleuve au détour d'un chemin riverain. Membre distingué de la prestigieuse famille Dunn, Timothy Hibbard, qui était marchand et commerçant, acheta des terres vers 1878, notamment à Sainte-Pétronille. Il finança la construction d'une chapelle anglicane et l'aménagement d'un magnifique terrain de golf. Au début du XXe siècle, Sainte-Pétronille était l'un des centres de villégiature les plus recherchés de la région de Québec. Son port accueillait les touristes qui logeaient dans des pensions ou des hôtels.

Du quai, un panorama grandiose s'offre à la vue, celui-là même que James Cook, le découvreur de la Nouvelle-Calédonie et des îles Hawaï, contempla en 1759. En effet, le célèbre explorateur travailla sous les ordres du général britannique Wolfe, dont les troupes avaient établi un campement sur le site du village afin de surveiller les mouvements de l'ennemi sur les rives nord et sud du fleuve.

Saint-Pétronille, à l'extrémité ouest de l'île d'Orléans, est située de biais par rapport à Beauport et aux chutes Montmorency.

Environs de Québec ▪ Sainte-Pétronille

L'anse du Fort et l'auberge La Goéliche, incendiée en 1996.

Les petites rues riveraines

En bordure de cette rue, une maison en brique a abrité Horatio Walker, un peintre renommé du XIXe siècle, qui s'est appliqué comme tant d'autres artistes à dépeindre les beautés de l'île. On y trouve aussi de belles résidences de la fin du XIXe siècle et du début du XXe. Durant l'hiver, l'extrémité de cette rue était le point d'un pont de glace qui relia l'île à la terre ferme jusqu'en 1952. Sur la route du Quai, dans les rues Laflamme et Gagnon, propices à la marche, on découvre de belles vues pittoresques sur le paysage villageois, le fleuve et ses anses.

Le quai et l'hôtel

Construit en 1852, le quai fut l'un des endroits les plus fréquentés de l'île, car il accueillit pendant des décennies des visiteurs curieux, des voyageurs et des vacanciers qui venaient en bateau à vapeur. L'anse du Fort, jusqu'à récemment dominée par l'auberge La Goéliche, fut en 1823 le site d'un chantier maritime.

Des maisons de villégiature adaptées

Il est amusant de voir comment les propriétaires de Sainte-Pétronille ont spontanément adapté leurs habitations à la configuration de la pointe de l'île. Bien sûr, on y trouve des maisons traditionnelles à toit à deux versants ou à toit brisé inspiré du style Second Empire. Mais la vue sur le fleuve est la ressource première de l'endroit… ce qui explique le foisonnement de vérandas, d'adjonctions vitrées et ces grandes galeries fermées de baies. De la maison la plus modeste à la plus huppée, on n'a rien négligé pour avoir «la» vue en tout confort.

Une forêt de chênes rouges

Autrefois, le chêne était une espèce très appréciée dans la construction navale, à cause de sa solidité et de sa résistance à l'humidité. En sortant du village en direction sud, on entre dans une forêt de chênes rouges ; ce terrain boisé fut exploité au XIXe siècle pour la construction de navires.

La chocolaterie

Une chocolaterie se spécialise dans la fabrication artisanale. Elle offre des fruits de l'île enrobés d'une délicieuse robe sucrée ; le chocolat noir fourré à l'érable est aussi une spécialité.

La rue Horatio-Walker, immédiatement en bordure du fleuve, du nom du peintre qui y a habité.

Une très petite anse à côté du quai accueille les embarcations.

Un petit cottage de style Regency.

Une rue typique de
Sainte-Pétronille, avec
ses maisons de
villégiature.

Une maison de
villégiature.

Au centre du village,
on remarque plusieurs
belles maisons
du XIXe siècle à toit
à deux versants.

On a ajouté à certaines
maisons des rallonges
largement vitrées.

En face des anses,
dans de belles
résidences souvent
dotées de spacieuses
vérandas, comme cette
maison de style
Second Empire,
les occupants
peuvent admirer
le paysage
du fleuve.

ADRESSES UTILES

 Auberge La Goéliche, 22, du Quai. Cette auberge, incendiée en 1996, sera reconstruite sur son site actuel.

S **Le Club de golf de Sainte-Pétronille.** Vous aimez le golf ? Le Club de golf de Sainte-Pétronille occupe un beau site derrière le centre du village sur un plateau en surélevé. Ouvert en 1868, il avait à l'époque un parcours de trois trous. Ce serait le plus ancien terrain de golf en Amérique du Nord.
Tél. : 418-828-2248

 La Chocolaterie de l'île d'Orléans, 196, chemin du Bout de l'Île. Spécialité de chocolats fourrés à l'érable.
Tél. : 418-828-2252

HORATIO WALKER
1858-1938

Né en Ontario, Horatio Walker, après avoir commencé à travailler comme photographe, s'établit dans l'île peu de temps après un voyage en Europe au cours duquel il avait découvert Corot et Millet. On connaît son inspiration : la vie paysanne québécoise qu'il a rendue dans de grands tableaux et des scènes allégoriques très proches de la nature.

Lotbinière

Pérennité d'un ancien village issu du système seigneurial

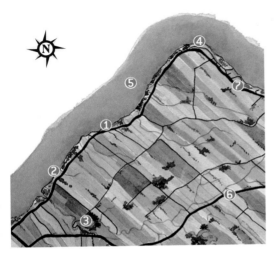

1. Noyau villageois
2. Manoir Chavigny-de-La-Chevrotière
3. Moulin du Portage
4. Pointe Platon
5. Fleuve Saint-Laurent
6. Route 226
7. Route 132

En quittant Québec en direction de Montréal, on longe le fleuve puis on traverse une grande région qui fait partie des basses terres du Saint-Laurent. Appelée plate-forme de Québec par certains géographes, elle a l'aspect d'une plaine surélevée. En bordure du fleuve, ses berges abruptes s'élèvent à environ 50 mètres au-dessus du niveau de la mer. La plaine se relève graduellement et uniformément vers le sud jusqu'à 200 mètres environ. Les sols sont propices à la grande culture et à l'industrie laitière. C'est dans ce décor riverain que se campe gracieusement le village de Lotbinière.

Le territoire de cette paroisse a connu sa première colonisation en 1672, soit l'année où fut concédée la seigneurie de Lotbinière. En bordure du littoral, un début de peuplement donna naissance au premier noyau de colons. L'occupation du sol se fit selon le tracé en grille, caractéristique des concessions de terres accordées en vertu du système seigneurial. L'ancien chemin du Roy en bordure de la rive fut la grande voie de communication le long de laquelle les terres, toutes parallèles entre elles, obtinrent chacune leur front sur le fleuve. Le village s'est formé autour de bâtiments religieux dominés par l'église. Des alignements plus denses de maisons de part et d'autre d'un axe de circulation, un peu avant et après la place de l'église, formèrent l'essentiel du village. À mesure qu'on s'éloigne du cœur de l'agglomération, les habitations villageoises se font rares et sont supplantées graduellement par des maisons de ferme.

Aux XVIIIe et XIXe siècles, la route terrestre reliant entre elles les petites communautés locales était à peine praticable et difficile à entretenir, ce qui obligea longtemps les riverains à utiliser le fleuve. D'où la présence d'un quai, point d'échange d'où les commerçants expédiaient les marchandises d'une rive à l'autre en direction de Québec. Grâce au fleuve, les canots, les bateaux

à vapeur et les goélettes donnaient accès au chantier maritime de Saint-Antoine, aux quais de chargement du bois de Leclercville et aux installations de pêche à l'anguille de Saint-Louis-de-Lotbinière.

Traditionnellement, l'agriculture a toujours dominé la vie économique de Lotbinière. Au milieu du XIXᵉ siècle, la paroisse était la plus opulente du comté : elle comptait 5 écoles et aussi 16 maisons en pierre, soit un nombre supérieur à celui de toutes ses voisines. Les populations des localités avoisinantes venaient s'approvisionner à 13 boutiques et commerces de Lotbinière. Le village obtint le statut de municipalité en 1855.

Le fleuve, la grande voie de communication de jadis, a été remplacé par l'autoroute 20. Celle-ci se trouve à plus d'une vingtaine de kilomètres dans les terres, en ligne droite par rapport au village. Pour le rejoindre, il faut passer par Deschaillons, si on vient de l'ouest, et par Sainte-Croix, si on vient de l'est (l'accès le plus rapide). La situation géographique particulière de Lotbinière, à l'écart des principales routes terrestres, l'a maintenu dans un certain isolement. Le maintien d'une vocation essentiellement agricole explique en partie la conservation du cadre physique traditionnel. Avec une population oscillant autour de 1000 habitants, Lotbinière n'en compte pas plus que vers 1850.

Le village et ses environs recèlent de nombreuses traces du passé : de par sa situation géographique, entre le fleuve et de vastes étendues agraires, il évoque une époque révolue. La grande masse de l'église, avec laquelle des silos à grains arrivent à peine à rivaliser, se découpe au milieu d'un vaste panorama. De grands monuments en pierre rappellent l'opulence oubliée des jours anciens, celle qu'on trouvait dans cette riche région agricole.

Le village s'étale dans la plaine du Saint-Laurent, en bordure du fleuve.

Environs de Québec ▪ Lotbinière

209

L'église (MH) et le presbytère

Troisième temple à être construit, l'église Saint-Louis-de-Lotbinière, avec sa grande robe blanche majestueuse, coiffée d'un toit argenté, frappe au premier coup d'œil. Il faut admirer, par une fin de journée ensoleillée, les effets magnifiques des rayons sur la façade, la nef, le chœur et la sacristie. À noter aussi le presbytère et le cimetière adjacents à l'église.

Le manoir Chavigny-de-la-Chevrotière

Cette maison à l'architecture monumentale unique (7640, Marie-Victorin) a appartenu au notaire Ambroise Chavigny de la Chevrotière, mort du choléra à Québec en 1834. Les jardins « à la française » à l'arrière ont été aménagés entre 1967 et 1976. Cette maison a entre autres appartenu à J. O. Vandal, un agronome-généticien qui a été professeur à

l'Université Laval. En 1945, il a commencé des recherches et a fait des expérimentations sur les croisements de vignes, des travaux qu'il a poursuivis à Lotbinière de 1961 à 1980. Ses travaux font autorité.

La chapelle de procession (MH)

Ce bel édicule, bien proportionné, se tient gaillardement à la sortie du village. Il a été construit en 1834 dans le style néo-classique.

Les maisons

Plusieurs belles maisons parsèment les abords de la rue principale, dont la maison Pagé, construite en 1785 (7482, Marie-Victorin, MH) et, à la sortie ouest du village, la maison Bélanger (7661, Marie-Victorin, MH).

Les moulins

De beaux moulins méritent le détour. Notons d'abord le moulin du

Domaine (7218, Marie-Victorin, MH), en bordure de la route 132, construit en 1799 avec les pierres de la première église de Lotbinière. Il y a aussi le moulin du Portage, construit en 1816 (MH); il se dresse au centre d'un méandre de la rivière du Chêne, au fond d'une petite vallée où la nature est remarquable. Comptant parmi les beaux coins pittoresques de la région de Québec, ce moulin, trop méconnu, est isolé dans le rang Saint-François.

Le domaine Joly-de-Lotbinière

Même s'il est situé dans sa plus grande partie sur le territoire de la municipalité avoisinante de Sainte-Croix, le domaine Joly-de-Lotbinière est indissociable de l'histoire de Lotbinière. La petite route de Pointe-Platon, bordée de peupliers de Lombardie, conduit au magnifique domaine de Pierre-Gustave Joly, qui l'acheta en 1840. Plus tard, la propriété passa aux mains de son fils, Henri-Gustave, qui devint premier ministre de la province de Québec en mars 1878. Le domaine comprend plusieurs bâtiments secondaires. Un immense manoir aux larges galeries domine le site étalé sur trois plateaux. Cet endroit est remarquable à cause de la végétation, des jardins et de sa faune ornithologique.

Dans un méandre de la rivière du Chêne, le moulin du Portage se trouve au milieu d'une sorte de cuvette à l'horizon fermé.

Le manoir Joly-de-Lotbinière occupe une terrasse inférieure en bordure du fleuve sur la Pointe-Platon, un site naturel aux attraits uniques.

PAMPHILE LEMAY
1837-1918

Après des études de droit, Pamphile Lemay fut nommé bibliothécaire de la Chambre législative par le premier ministre Chauveau en 1867. On le connaît surtout comme homme de lettres et poète. Ses œuvres regroupent des essais, des romans et des nouvelles publiés entre 1865 et 1916. Il naquit à Lotbinière, de Léon Lemay, cultivateur et négociant, et de Louise Auger.

SIR HENRI-GUSTAVE JOLY DE LOTBINIÈRE
1829-1908

Sir Henri-Gustave Joly de Lotbinière fut élu député de Lotbinière en 1861 et premier ministre du Québec pendant une courte période, du 8 mars 1878 au 30 octobre 1879. Élu aux Communes en 1896, il prit le portefeuille du Revenu de l'Intérieur jusqu'au 21 juin 1900. Son père, Pierre-Gustave, acheta le domaine de Pointe-Platon en 1840 pour y établir une résidence d'été. Henri-Gustave en hérita de sa mère.

L'église est un
magnifique temple
tout blanc sur lequel
se découpent des
ornements de couleur
grise.

Des jardins élaborés
entourent le manoir.

La chapelle, construite en 1834.

Le manoir Chavigny-de-la-Chevrotière, légèrement à l'écart du centre du village, est une construction monumentale inusitée.

L'entrée du cimetière : le mariage séculaire de la pierre, du fer et des végétaux.

Les édifices institutionnels – l'église, le presbytère et le couvent – sont regroupés autour d'une belle place.

Détail d'un monument funéraire dans le cimetière.

L'activité traditionnelle de la région de Lotbinière est l'agriculture. On y cultive notamment les fraises. Ce type de culture fruitière, le deuxième en importance au Québec depuis 1980, est axé vers le marché de la transformation.

ADRESSES UTILES

 Le Moulin du Portage, chemin du Moulin. Le moulin, situé sur un méandre enchanteur, loge un petit café.
Tél. : 418-796-3134

 Le Domaine Joly-de-Lotbinière, route Pointe-Platon, Sainte-Croix. Manoir seigneurial et jardins dans un site magnifique en bordure du fleuve.
Tél. : 418-926-2462

Charlevoix

Les Éboulements
Saint-Joseph-de-la-Rive
Saint-Irénée
Port-au-Persil

La région de Charlevoix a-t-elle besoin de présentation? Nul ne peut prétendre l'ignorer, soit pour y être allé, soit pour en avoir entendu parler. Les hauts plateaux, par endroits striés brutalement par de grandes vallées en forme d'auges, creusées par les glaciers, séduisent le visiteur au premier coup d'œil.

On trouve dans la région trois grands types de reliefs : une partie du haut plateau laurentien qui s'enfonce dans l'intérieur, à peu près inhabité, un plateau intermédiaire ondulé, qui avance par endroits jusqu'au fleuve, et des dépressions littorales en bordure de l'estuaire.

Les plus grandes dépressions littorales ont donné naissance à des localités telles que Baie-Saint-Paul et La Malbaie, devenues aujourd'hui des agglomérations importantes. Ailleurs, s'accommodant de dénivellations marquées et d'étroites bandes riveraines, l'homme s'est implanté plus tardivement au XVIIIe siècle, à proximité de caps rébarbatifs peu propices à l'ouverture de routes terrestres.

Aujourd'hui, les villages occupent des sites naturels pittoresques où la nature conserve encore tous ses droits. La zone littorale retient évidemment l'attention avec ses dénivellations marquées et ses terrasses étroites adossées à des escarpements abrupts. Formant des échancrures dans le plateau, les baies qui s'ouvrent sur le fleuve se prolongent par de grands estrans rocheux et vaseux. C'est dans un cadre semblable que se trouve Saint-Joseph-de-la-Rive, un petit village aligné tout au long d'une étroite bande de terre dont l'extrémité se termine par un quai orienté vers l'île aux Coudres. Son pendant, le village des Éboulements, accroché aux différents niveaux du plateau laurentien, l'occupe dans sa partie supérieure. Saint-Irénée est disposé d'une façon similaire : le village se trouve dans une dépression à différents niveaux du plateau. Port-au-Persil, quelques kilomètres avant Saint-Siméon, égrène un chapelet de constructions sur ses versants interminables, avec un petit noyau au fond d'une cuvette.

Les premiers habitants de cette région, choyés par une nature aux paysages magnifiques, n'avaient cependant que des moyens limités et peu de matériel. On le voit bien dans la simplicité de l'architecture : faites en bois, les habitations prennent la forme d'un rectangle le plus souvent d'un seul étage. Elles sont coiffées d'un toit à deux versants. Y ont succédé dans la seconde moitié du XIXe siècle des maisons à toit brisé. Encore là, rien de luxueux. On remarque bien ici et là des ornements, mais la sobriété prime. L'intérêt des

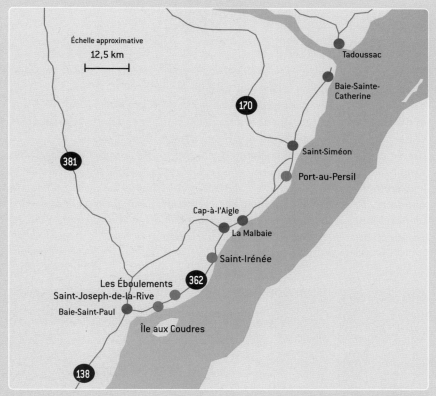

Échelle approximative
12,5 km

Tadoussac

Baie-Sainte-
Catherine

170

Saint-Siméon

381

Port-au-Persil

Cap-à-l'Aigle

La Malbaie

Saint-Irénée

Les Éboulements

362

Saint-Joseph-de-la-Rive

Baie-Saint-Paul

Île aux Coudres

138

© Yves Laframboise

villages de la région de Charlevoix ne tient pas au caractère exceptionnel de l'architecture, mais à ces fragiles implantations humaines dont le mariage à l'immensité du plateau laurentien étonne par sa démesure.

La région de Charlevoix, contrairement à celle de la Côte-du-Sud, connaît depuis plusieurs années déjà un essor rapide de son industrie touristique. Ce phénomène a d'ailleurs commencé à altérer l'intégrité de ses paysages et du milieu bâti. Elle n'en conserve pas moins un charme incomparable à cause de la grandeur des paysages, de ses vues panoramiques sur les villages et sur le fleuve. Elle a d'ailleurs été désignée réserve de la biosphère par l'UNESCO.

❯ Les Éboulements

Un village éparpillé entre ciel et terre

Le village Les Éboulements englobait autrefois le territoire actuel de Saint-Joseph-de-la-Rive. D'où vient donc ce nom étonnant ? On cherchera en vain dans son paysage des tas de roches menaçant de dévaler vers le fleuve. S'agirait-il de la situation précaire de ses maisons, accrochées aux pentes abruptes ? Ou encore de ses quelques groupements d'habitations, écartelés de haut en bas du plateau laurentien : les rangs d'arrière-pays au sommet, le rang Saint-Joseph formant l'axe principal du village, la Grande Côte menant au fleuve et le chemin du Centre longeant un plateau intermédiaire ? Eh bien ! non. Il faut remonter loin en arrière et imaginer ce tremblement de terre survenu en février 1663 qui a provoqué l'effondrement d'une colline dans la mer. La pointe du quai en formerait aujourd'hui les débris !

1. Église
2. Manoir de Sales-Laterrière
3. Moulin
4. Rivière du Seigneur
5. Fleuve Saint-Laurent
6. Rang Saint-Joseph
7. Grande Côte
8. Chemin du Centre
9. Vers Saint-Joseph-de-la-Rive

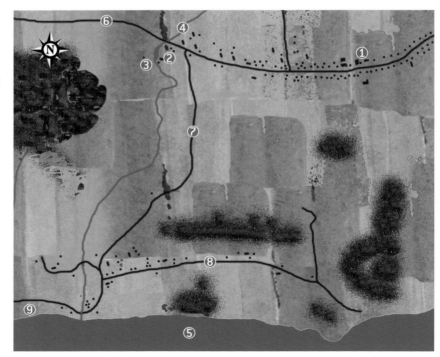

L'histoire de ce village perché commence avec celle des frères Pierre et Charles de Lessart, les deux premiers propriétaires de la seigneurie des Éboulements. Peu intéressés par leur acquisition, ils la vendent en 1710 à Pierre Tremblay. Ce dernier procède rapidement à sa mise en valeur. Le premier manoir seigneurial est construit vers 1720 dans la partie basse de la propriété, à proximité de la rivière des Boudreault (sur le site de l'actuelle auberge La Perdriole). La construction d'un moulin à farine suit promptement. En 1723, l'établissement compte 42 habitants. En 1762, c'est-à-dire à l'époque où la dernière portion de territoire est cultivée de ce côté du fleuve, la population passe à 225 personnes. Plus loin à l'est, il n'y a que de grandes étendues boisées.

Avec la construction, en plus d'un premier manoir seigneurial et d'un moulin à farine, d'une église à proximité du fleuve, l'établissement se concentre sur les berges mais pour peu de temps. Déjà en 1750, le fils de Pierre Tremblay, Étienne, fait construire un second manoir dans la partie supérieure des Éboulements, à proximité de l'actuel ruisseau du Seigneur. En 1798, un nouveau moulin apparaît, tout à côté. Mais des dissensions dans la population au sujet du site futur d'une nouvelle église se soldent en 1804 par le choix d'un emplacement sur les collines du plateau. Au tournant du siècle donc, la partie basse du village, les Éboulements-en-Bas, périclite au profit d'une agglomération qui se développe sur les hautes terres le long de l'actuelle route 362.

En 1810, la seigneurie est vendue à Pierre de Sales Laterrière, de Trois-Rivières. Ce curieux personnage, originaire d'Albi (Languedoc), arrive au Canada en 1766. Ce commerçant, qui se dit aussi médecin, habite à différents endroits dont Trois-Rivières, puis il se fixe définitivement aux Éboulements où

Au-delà du cap Tourmente, des fragments de basses terres se succèdent et forment de grandes dépressions comme à Baie-Saint-Paul, ou alors ce sont de petites franges qui sont accrochées aux hauts plateaux, comme c'est le cas pour Les Éboulements et Saint-Joseph-de-la-Rive. Le village accueille des visiteurs fascinés par ses vastes panoramas en surplomb.

il meurt en 1815. La famille de Sales Laterrière, dont le nom reste associé étroitement à l'histoire des Éboulements pendant près d'un siècle, transformera et agrandira le manoir à une époque ultérieure.

En 1859, l'instauration d'un pouvoir municipal amène l'abolition du système seigneurial et Les Éboulements obtient le statut de municipalité. Sur son territoire sont éparpillées 250 maisons, presque toutes en bois. Elles forment ici une agglomération villageoise, là des écarts se rattachant à de minces rubans épousant un relief montueux, ailleurs des groupes d'habitations s'alignant face aux rives du fleuve. Une dizaine de commerces et de boutiques renforcent le centre du village. L'activité économique est axée sur l'agriculture, l'exploitation forestière et la construction maritime. L'attrait exceptionnel du paysage et du site sont tels que certains visiteurs cherchent à prolonger leur séjour. Les hôtels se trouvent pour la plupart dans la partie basse. D'ailleurs, cette partie des Éboulements se détachera en 1931 pour former Saint-Joseph-de-la-Rive.

Le village est un peu écartelé dans le paysage, comme si la création de Saint-Joseph-de-la-Rive l'avait amputé de certaines de ses composantes. L'essentiel de l'agglomération forme un renflement de part et d'autre de la route 138. À ce noyau s'ajoutent la Grande Côte qui mène au fleuve, le chemin du Centre et une partie du chemin du Bas. L'architecture des résidences, relativement récentes, indique que le village s'est agrandi dans la première moitié du XXe siècle. Typiquement, les maisons de ferme rattachées à des unités d'exploitation agricole se trouvent aux extrémités du village. La Grande Côte, délaissée par les premiers colonisateurs, voit aujourd'hui pousser des maisons de villégiature tirant parti d'une vue saisissante sur l'île aux Coudres. Le chemin du Centre connaît le même phénomène depuis les années 1900. La popularité grandissante de Saint-Joseph-de-la-Rive, le village voisin auquel on ne peut accéder qu'en passant par la Grande Côte, met Les Éboulements à portée d'une nouvelle industrie. Le nombre florissant de restaurants, de gîtes du passant, de boutiques et de galeries révèle d'ailleurs une mutation majeure de son économie.

Le noyau villageois

Construite en 1932, l'église reproduit à une plus grande échelle la précédente. Dans le transept gauche, Baillairgé a exécuté en 1775 un bas-relief qui représente l'Assomption de la Vierge.

Le cimetière se trouve derrière l'église sur une pente faiblement ondulée d'où on aperçoit en arrière-plan les collines laurentiennes. On remarque quelques belles croix en métal ouvragé et des charniers surmontés de toits en berceau, une forme pour le moins inusitée.

Le manoir et le moulin de Sales-Laterrière

Le manoir et le moulin forment un ensemble seigneurial fort intéressant, représentatif du début du XIXe siècle. Le manoir, construit en 1750 puis transformé, fut vendu aux frères du Sacré-Cœur en 1947 par le dernier représentant de la famille Laterrière, Jean-Pierre. Le manoir original correspond à la partie est en pierre, recouverte d'un toit avec croupes. La partie centrale, construite plus tard au XIXe siècle, est formée d'une grande maison en pierre recouverte de bois qu'on a modifiée passablement. Quant à la partie ouest, elle a été aménagée en chapelle. Le manoir est entouré de plusieurs dépendances, dont le moulin banal.

Le moulin banal, communément appelé moulin Laterrière, est perché au sommet d'une chute surplombant la rivière. L'architecture parfaitement conservée de ce bâtiment, les mécanismes anciens dont il est doté et le cadre enchanteur où il est situé en

font un monument remarquable. Il a été acquis par la fondation Molson qui en assure l'entretien.

La chapelle de procession de Saint-Nicolas (MH) a été érigée à l'origine au village de Saint-Nicolas puis déménagée sur son site actuel en 1969.

Une ancienne boutique, la forge Arthur Tremblay.

Le manoir de Sales-Laterrière a été construit en 1750 puis transformé.

Le moulin de Sales-Laterrière et son site pittoresque.

construites récemment témoignent de l'intérêt grandissant qu'ont pour cet endroit les villégiateurs, attirés entre autres par une vue imprenable sur le fleuve, Saint-Joseph-de-la-Rive et l'île aux Coudres.

La forge Arthur Tremblay

À sa mort en 1928, Hermel Tremblay a légué sa forge à son fils Arthur. Ce bâtiment – une ancienne maison déplacée en 1891 sur le site – occupe un emplacement stratégique à l'intersection du rang Sainte-Catherine et de la rue principale. Hermel, le père, ferrait les chevaux; de plus, il fabriquait des charrues, des herses, des faucilles, des haches, des marteaux, etc. La forge a conservé l'enclume, l'âtre pour le feu et le soufflet. Elle est ouverte au public l'été.

Le chemin du Centre

Ce rang est bordé du côté nord par d'anciennes maisons de ferme parmi lesquelles se sont glissées subrepticement quelques maisons de villégiature. La vocation agricole de cet endroit ne s'est jamais démentie: plusieurs caveaux à légumes, largement enterrés dans le sol, ne laissent voir qu'une façade en pierre percée d'une porte unique. Des maisons

Des bâtiments de pièces, souvent blanchis à la chaux, caractérisent le paysage rural.

ADRESSE UTILE

S **Club de ski de fond
Les Éboulements inc.,**
196, rang Sainte-Catherine.
Tél. : 418-635-2632

⟩ Saint-Joseph-de-la-Rive

Sur les bords du Saint-Laurent, face à l'île aux Coudres,

un village où l'on construisait des goélettes

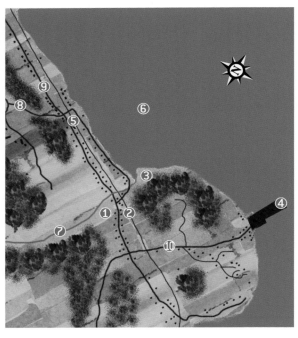

1. Papeterie Saint-Gilles
2. Santons de Charlevoix
3. Chantier maritime
4. Quai
5. Chapelle
6. Baie des Éboulements ; Fleuve Saint-Laurent
7. Rivière des Boudreault
8. Côte des Cèdres
9. Rue Félix-Antoine-Savard
10. Chemin du quai

De tous les villages qui longent le fleuve, Saint-Joseph-de-la-Rive témoigne plus que tout autre d'une symbiose réussie entre l'homme et le milieu naturel. Dans Charlevoix, le plateau laurentien est coupé abruptement par le fleuve, ce qui rend l'occupation humaine quasi impossible. D'où un paysage avec d'immenses caps sauvages s'enfonçant brutalement dans l'eau. À Saint-Joseph-de-la-Rive, au contraire, le plateau laurentien se laisse apprivoiser par l'homme. En contrebas, sur une étroite terrasse serrée entre le fleuve et un fort escarpement, des constructions s'alignent en un mince ruban. Les occupants jouissent d'un autre avantage : une pointe de terre s'avançant sur la batture permet de se rapprocher des eaux profondes, ce qui facilite l'accostage des bateaux. Cette bande de terre crée deux baies, la prairie marine à l'ouest et la baie des Éboulements à l'est. Cette dernière, à l'abri des vents, constitue aussi le point d'arrivée de la rivière des Boudreault. Elle abrite le centre du village.

L'actuel territoire de Saint-Joseph-de-la-Rive faisait autrefois partie de la municipalité de paroisse des Éboulements, constituée en 1859. On l'appelait le Rang du Bas-des-Éboulements. Même s'il fut le premier lieu de peuplement, le rang n'acquit son statut indépendant qu'en 1931, l'année où fut créée la municipalité du village de Saint-Joseph-de-la-Rive. À cette époque, les touristes et les voyageurs de passage fréquentaient déjà ces lieux réputés pour leur beauté et leur tranquillité. Dès 1900, plusieurs hôtels se sont établis : l'hôtel Cimon (reconstruit après le tremblement de terre de 1925,

aujourd'hui l'hôtel Beauséjour), l'hôtel Bellevue (aujourd'hui l'auberge La Perdriole) et l'hôtel Laurentides (l'actuel restaurant Le Loup-Phoque). Quelques années plus tard, l'hôtel Castel de la Rive (l'actuelle Auberge de la Rive) ouvrait ses portes. Aujourd'hui, Saint-Joseph-de-la-Rive continue cette tradition et accueille chaque été de nombreux touristes et vacanciers. Ils occupent chalets, auberges et résidences secondaires. On les voit défiler sur son quai en attendant de faire le tour de l'île aux Coudres.

Le chantier maritime, transformé en centre d'interprétation sur la construction navale et la navigation.

L'île aux Coudres fait face au village de Saint-Joseph-de-la-Rive.

Les bâtiments institutionnels

Le cœur du village comprend notamment une église, un presbytère et un petit kiosque public. L'église de Saint-Joseph est une ancienne chapelle d'été ouverte au culte en 1910. Plus récent, le presbytère remonte à 1931, l'année de la création de la municipalité.

À proximité de l'église, un charmant petit kiosque procure une vue superbe sur l'île aux Coudres et le chenal. L'exiguïté du site de l'église n'a pas permis d'y aménager un cimetière. On le trouve dans la côte de la Misère. L'écrivain Félix-Antoine Savard y est inhumé.

La baie des Éboulements et le quai.

Flâner dans le village

À cause de son relief très accidenté et de son bord de mer varié, l'un et l'autre confinés dans un espace relativement restreint, mieux vaut flâner dans Saint-Joseph-de-la-Rive pour l'apprécier à sa juste valeur. On pourra comparer les diverses implantations humaines et contempler les panoramas qui s'offrent à la vue au détour des chemins. À la rue Félix-Antoine-Savard, l'artère principale du réseau routier, se greffent dans le secteur du cap Saint-Joseph le chemin des Marguerites, le chemin des Dunes ainsi que la rue de la Plage à côté du quai. Du côté de la baie des Éboulements, la rue de l'Église longeant la rive offre un beau panorama sur le fleuve et sur l'île aux Coudres. À flanc de montagne, la côte des Cèdres, après une ascension rapide, aboutit à un grand plateau à vocation agricole d'où l'on embrasse l'horizon du regard. Même la voie ferrée, dont la tranquillité n'est que rarement dérangée par le train, attire inexplicablement les visiteurs, qui lui trouvent un je-ne-sais-quoi de sympathique…

À Saint-Joseph-de-la-Rive, la voie ferrée et ses auberges à proximité attirent immédiatement le regard.

Une ancienne école recyclée
en papeterie traditionnelle

Une ancienne école dont la construction fut entreprise en 1934 abrite aujourd'hui la Papeterie Saint-Gilles. Cet économusée original a été fondé en 1965 par l'écrivain Félix-Antoine Savard, auteur du roman *Menaud, maître-draveur,* et par un mécène, Mark Donohue. On y fabrique à la main un papier chiné «grand luxe» selon des techniques anciennes. Des chiffons, des colles et des teintures entrent dans la composition de la pâte. On forme ensuite des feuilles qui sont pressées, puis séchées. Elles sont pressées une seconde fois après avoir été calandrées. Outre l'atelier de fabrication, le bâtiment inclut une salle d'exposition, un centre de documentation et une boutique de vente.

Le sigle de la papeterie Saint-Gilles, créée par l'écrivain Félix-Antoine Savard.

L'édifice de la papeterie.

Le chantier maritime et les « voitures d'eau »

Toute la région de Charlevoix a une longue tradition de transport maritime, entre autres de chantiers navals. Entre le début du XIXᵉ siècle et les années 1950, on a construit un très grand nombre de bateaux, surtout des goélettes mais aussi quelques bricks et des sloops. Plusieurs localités s'adonnaient à cette industrie. Petite-Rivière-Saint-François, l'Île-aux-Coudres, Baie-Saint-Paul, La Malbaie, Saint-Siméon, Saint-Irénée, Saint-Fidèle, Port-au-Persil se sont toutes distinguées mais Saint-Joseph-de-la-Rive et Les Éboulements ont réalisé le plus grand nombre de bateaux dans la région. Perpétuant cette vieille tradition, la compagnie Les chantiers maritimes de Charlevoix ltée, fondée en 1946, exploitait à Saint-Joseph-de-la-Rive un chantier de construction, de réparation et d'hivernage des bateaux. L'entreprise a fermé ses portes en 1973 et s'est transformée en centre d'interprétation consacré à la navigation maritime et à la construction navale.

Les santons de Charlevoix

D'origine provençale, les santons sont des figurines de terre, peintes à la main. Elles représentent des personnages traditionnels, dont ceux de la Nativité. Un bâtiment loge l'atelier de fabrication et une boutique de ventes.

On peut visiter les goélettes, recouvertes d'un toit protecteur.

Les santons sont fabriqués selon des procédés artisanaux. Chaque figurine est peinte à la main.

Le quai

Plus qu'un simple point d'embarquement et de débarquement, le quai de Saint-Joseph-de-la-Rive est le premier lieu public du village. Le traversier de l'île aux Coudres y accoste.

C'est le port d'amarrage des navires du Groupe Desgagnés. Les pêcheurs persévérants y feront quel-

La petite chapelle érigée en 1910 et son kiosque.

ques prises d'éperlans, de plies, de loches et même d'anguilles. Et on pourra aussi déambuler sur le quai, rien que pour le plaisir, comme pour s'assurer qu'à Saint-Joseph-de-la-Rive, tout continue d'être en place, hommes, fleuve et ciel…

ADRESSES UTILES

❗ La papeterie Saint-Gilles,
304, Félix-Antoine-Savard.
Entreprise artisanale dotée d'un petit
musée. Fabrication à la main selon les
techniques traditionnelles du XVIIᵉ siècle ;
on peut acheter du papier.
Tél. : 418-635-2430

Boutique Les Santons de Charlevoix,
303, de l'Église. Tél. : 418-635-2521

Ⓐ La boulangerie Laurentide,
321, Félix-Antoine-Savard. Grand
choix de tartes traditionnelles aux fruits
frais (sans additifs évidemment...!).
Tél. : 418-635-2475

Ⓜ Expositions maritimes Saint-
Joseph-de-la-Rive, *305, de l'Église.*
Ancien chantier maritime transformé en
centre d'interprétation. Tél. : 418-635-1131

Ⓗ La Maison sous les Pins,
352, Félix-Antoine-Savard
Un gîte dans une maison ancienne.
Tél. : 418-635-2583

Auberge La Perdriole,
278, rue Principale
Une ancienne pension de famille.
Tél. : 418-635-2435

Auberge Beauséjour,
569, chemin du Quai. Un hôtel traditionnel
encore charmant, même rénové.
Tél. : 418-635-2895

La goélette Jean-Yvan, une attraction
du centre d'interprétation.

Fabrication artisanale du papier
(papeterie Saint-Gilles).

FÉLIX-ANTOINE SAVARD
1895-1982

Né à Québec, Félix-Antoine Savard a fondé plusieurs paroisses dans Charlevoix
et dans l'Abitibi où il vécut parmi les premiers colons. Professeur de littérature
française et très proche des sources du folklore oral, il publia plusieurs romans dont
Menaud, maître-draveur (1937), des récits, des drames lyriques, des poèmes et
ses Mémoires. Il a passé les dernières années de sa vie à Saint-Joseph-de-la-Rive,
où il a contribué à mettre sur pied une petite manufacture de papier artisanal.

> # Saint-Irénée

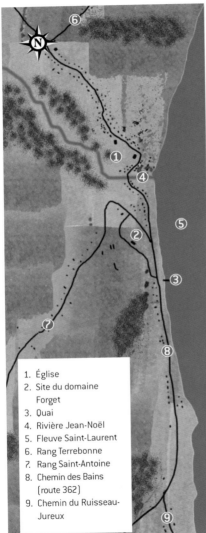

1. Église
2. Site du domaine Forget
3. Quai
4. Rivière Jean-Noël
5. Fleuve Saint-Laurent
6. Rang Terrebonne
7. Rang Saint-Antoine
8. Chemin des Bains (route 362)
9. Chemin du Ruisseau-Jureux

Un village qui a toujours su équilibrer agriculture et villégiature

À l'exemple de plusieurs autres villages de Charlevoix en bordure du fleuve, Saint-Irénée est éparpillé au gré du relief du plateau laurentien. Des rangs aux tracés irréguliers occupent les pentes du plateau alors qu'une bande de terre étroite et rectiligne longe la rive du fleuve.

L'entrée ouest est majestueuse. Dominant d'abord le fleuve à plus de 250 mètres d'altitude, la route 362 amorce une très longue descente vers le fleuve : on dirait une immense glissoire se jetant dans la mer. Au fur et à mesure qu'on avance, la majesté du fleuve s'impose et la forme générale du village, semblable à une grande cuvette étroite, apparaît progressivement. Dans la partie inférieure de cette grande pente origine le chemin du Ruisseau-Jureux, un parcours sur un plateau parallèle au fleuve. Menant à l'anse au Sac, il offre des vues spectaculaires. Au début du rang, quelques maisons anciennes témoignent d'un établissement agricole du XIXe siècle mais plus loin, sur la pointe Jureux, le secteur a été divisé en lots. Une zone résidentielle surplombant le fleuve tire parti d'un site au panorama exceptionnel.

Au fond de la cuvette, du côté nord, une bande étroite, parallèle au fleuve, est bordée de maisons, d'établissements hôteliers et de quelques restaurants. On y trouve l'entrée du domaine Forget. Du côté sud, une grande plage sablonneuse et un estran s'étendent de part et d'autre du quai.

Du côté est de la cuvette, un groupement irrégulier de maisons de part et d'autre de la rivière annonce le début du village. Les bâtiments se dispersent dans un désordre apparent, au hasard des creux, des pentes et des talus. Plusieurs courbes en escalier mènent au centre du village où sont regroupés les bâtiments institutionnels sur un plateau intermédiaire.

La route grimpe avec force jusqu'au sommet du plateau laurentien, bifurque en direction est, puis reprend son souffle pour rejoindre Pointe-au-Pic.

L'architecture de Saint-Irénée en est une de colonisation. De petites maisons en bois, à toit à deux versants ou à toit brisé, forment l'essentiel d'un bâti traditionnel d'apparence modeste. La paroisse, créée en 1840, emprunta à ses voisines des portions de territoire pour se constituer une entité autonome. Choisi en 1842, l'emplacement de l'église est situé sur une sorte de promontoire faisant face au fleuve. À l'époque, les quelque 800 habitants de la paroisse vivaient principalement de l'agriculture, mais ils s'adonnaient aussi à des activités secondaires telles que la construction navale, la pêche au capelan, la pêche à l'éperlan et, l'hiver, l'exploitation de la forêt.

Le village prend une légère coloration touristique vers le milieu du XIXe siècle. Deux bateaux de la Compagnie Richelieu (plus tard la Canada Steamship Lines) amènent les visiteurs sur place. Le village est aussi relié à Rivière-Ouelle vers 1900. C'est un lieu de villégiature reconnu. Mais au contraire de maints sites recherchés par la clientèle anglo-saxonne, une clientèle principalement canadienne-française le fréquente. Les noms de Rodolphe Forget, d'Adolphe-Basile Routhier et de Joseph Lavergne retiennent particulièrement l'attention.

L'agriculture se pratique encore aujourd'hui à Saint-Irénée, mais elle est passée du stade de la subsistance au stade industriel et s'appuie principalement sur l'élevage porcin. La population villageoise régresse cependant depuis plusieurs années et se situait en 1992 à environ 700 personnes. L'été, le village devient une petite station balnéaire surtout fréquentée par les gens de la région. Le domaine Forget, du nom de l'homme politique qui s'établit à Saint-Irénée au XIXe siècle, abrite aujourd'hui une célèbre école de musique.

Le village de Saint-Irénée occupe plusieurs pentes étalées, même le plateau laurentien, en bordure du fleuve.

Le noyau institutionnel

À mi-pente du noyau villageois, les bâtiments institutionnels se massent autour de l'église. Érigée en 1927, elle a été transformée par l'architecte Joseph-Pierre Ouellet. De cet endroit, on a une belle vue sur le rang Saint-Antoine, un grand cordon de terre agricole qui entoure le domaine Forget puis progresse jusque sur les hauteurs du plateau laurentien.

Le domaine Forget

De nos jours, le domaine Forget loge une école de musique où des professeurs réputés donnent un enseignement de haut niveau. Ouvert pendant la saison estivale, le domaine offre au grand public des concerts en plein air et des brunchs-musique permettant de goûter les plaisirs de la table.

Autrefois, le site appartenait à Rodolphe Forget, qui y fit construire une immense demeure en bois du nom de Gil-Mont. La propriété fut achetée par les Petites Franciscaines de Marie en 1945, et subit un incendie en 1965. Les édifices restants, écurie, poulailler et chaufferie, sont encore utilisés.

Saint-Irénée et la région de Charlevoix doivent beaucoup à Rodolphe Forget. Ce courtier montréalais, élu député conservateur du comté de Charlevoix aux élections fédérales, dut son succès pour une bonne part à la promesse qu'il fit de construire un chemin de fer entre Saint-Joachim et La Malbaie, via Saint-Irénée. Ses adversaires qualifièrent le projet d'irréalisable, mais il en fallait plus pour arrêter un homme aussi entreprenant. Forget fit incorporer la compagnie Quebec and Saguenay Railway et finança le projet à partir d'un octroi fédéral. Fait inusité, il vendit même des actions de sa compagnie en France. Les travaux de

Un alignement type de maisons sur la rue principale.

Certains propriétaires ont tiré parti du relief particulièrement varié de Saint-Irénée en installant leurs résidences dans des sites remarquables.

Le long du chemin du Ruisseau-Jureux, on a des vues splendides sur le fleuve. Un gîte du passant profite de la tranquillité de ce coin peu connu.

construction de la ligne de chemin de fer débutèrent en mai 1911. Des difficultés de financement dues à une sous-estimation du coût des travaux aboutirent à la cession de la compagnie au gouvernement fédéral qui l'intégra à son réseau en l'absorbant dans le Canadien National en 1919. Il y a plusieurs années, on a tenté de rétablir l'ancienne voie du Canadien National longeant le fleuve : aujourd'hui, cette ligne est utilisée par les touristes et les visiteurs qui veulent se rendre en train de Québec à La Malbaie.

Dans l'immensité hivernale du plateau laurentien, le noyau principal du village niche discrètement sur une corniche.

La partie inférieure du village, là où la rivière Jean-Noël et la route principale se rencontrent.

Saint-Irénée, vu du rang Saint-Antoine.

Brunch-musique au Domaine Forget de Charlevoix.

ADRESSES UTILES

Auberge des Sablons, 223, chemin Les Bains. Cette auberge est logée dans l'ancienne villa du juge Joseph Lavergne, érigée en 1902. Tél. : 418-452-3594

Le Ruisseau Jureux, 274, chemin du Ruisseau Jureux. Une maison ancienne dans un site remarquable en bordure du fleuve et du ruisseau du même nom abrite un gîte du passant. Un havre de paix ! Tél. : 418-452-8161

Le Domaine Forget de Charlevoix inc. Accès en face du quai. Festival de musique, concerts, expositions et brunchs-musique pendant la saison estivale. Tél. : 418-452-3535

> Port-au-Persil

Petit havre de paix dans un décor enchanteur

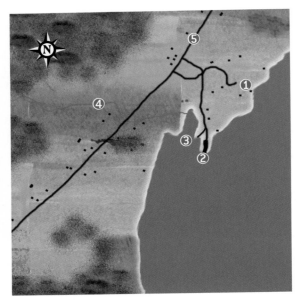

1. Chapelle protestante
2. Quai
3. Anse du Port-au-Persil
4. Ruisseau
5. Chemin du Port-au-Persil

Si, lors de votre passage dans la région de Charlevoix, vous avez remarqué, sans trop lui accorder d'importance, un petit panneau routier indiquant Port-au-Persil, vous avez peut-être continué, préférant conduire sur la 138, une route bien droite. Vous avez peut-être appréhendé les détours du chemin longeant le fleuve entre Port-au-Saumon et Saint-Siméon. La prochaine fois, n'hésitez pas à vous engager dans cette direction. Vous découvrirez dans le creux d'une immense vallée un petit hameau aussi charmant que discret disposé autour d'une minuscule anse de pêche.

Doit-on attribuer à l'exiguïté des lieux la petitesse de cette agglomération? Sans doute en bonne partie. Situé à quelques kilomètres au sud de Saint-Siméon, Port-au-Persil fait partie de la municipalité de paroisse de Saint-Siméon. Encore aujourd'hui, c'est un petit havre de paix enchanteur, dont les qualités tiennent avant tout au site, à la beauté du paysage, au nombre restreint de constructions et à des activités agricoles restées discrètes.

La formation de ce hameau ne remonte pas très loin dans le temps. Au début du XIXe siècle, les terres arables de la région de La Malbaie étaient à peu près toutes occupées. À cette époque, les jeunes colons désireux de posséder leurs propres terres ne pouvaient envisager de s'établir au Saguenay, puisque cette région ne fut soustraite au monopole de l'exploitation forestière qu'après 1842. Comme une partie de la seigneurie Mont-Murray n'était pas encore habitée, une poignée de colons migra vers l'est en bordure du fleuve.

Le premier habitant de Port-au-Persil était un Écossais du nom de Neil McLaren. À peine installé, il y invita l'année suivante une famille écossaise, celle de Peter McLeod, qui y exploita un moulin à scie. À cette époque, Port-au-Persil

était un hameau relié à La Malbaie. Le peuplement se poursuivit avec l'arrivée de familles d'origine française, notamment les Tremblay et les Carré. La population vivait de l'agriculture et de la pêche. À la fin du XIXᵉ siècle, le village faisait partie de Saint-Siméon, au même titre que d'autres petits regroupements comme Petite-Rivière-Noire et Baie-des-Rochers.

Port-au-Persil a conservé son charme du XIXᵉ siècle et probablement le caractère qu'il avait à l'origine. Aujourd'hui, on se plaît à contempler ce minuscule hameau perdu dans l'immensité du plateau laurentien. Il faut parcourir le petit chemin menant au quai, admirer cette très petite anse où quelques barques à peine pouvaient s'ancrer et prêter l'oreille au chuchotement ininterrompu de la petite cascade d'eau pour y trouver des repères à l'échelle humaine. Tels sont les attraits qui, d'une année à l'autre, incitent les visiteurs à séjourner dans les quelques gîtes du passant de cette ancienne anse de pêche, véritable relais du silence. Autrefois, les sœurs Bouchard étaient propriétaires d'une auberge de grande notoriété au sommet de l'accès est. Dans les années 1960-1970, elles ont accueilli à quelques reprises des personnages connus, notamment Jean Paul Lemieux et Pierre Elliott Trudeau.

Port-au-Persil, minuscule hameau perdu au fond d'une dépression, au milieu d'un paysage à perte de vue.

Avec ses quelques maisons et gîtes, l'anse dégage un charme unique.

Les animaux de ferme font partie du paysage champêtre de Port-au-Persil.

La chapelle protestante, construite en 1893 en bordure des rochers.

La petite chapelle protestante

John McLaren, le fils du premier arrivant, fut pasteur de l'église presbytérienne, mais il épousa une catholique. En 1893, il fit construire la petite chapelle protestante de Port-au-Persil pour sa famille, dont les membres étaient les seuls à appartenir à cette confession dans les environs.

La symphonie pastorale

La nature connaît des moments de sérénité, auxquels elle convoque ses musiciens préférés. Lorsque les derniers silences de la nuit cèdent aux premiers murmures du jour, des sons s'élèvent d'un peu partout. Le clapotis des vagues heurtant le quai se répète inlassablement, le coq annonce la levée du jour de son cri vigoureux, les clochettes des chèvres tintent dans la brume matinale, l'eau susurre en dévalant la chute, les oiseaux gazouillent, les chiens aboient, et la vie se met doucement en branle. Telle est la symphonie pastorale à laquelle sera convié le promeneur s'il part à la découverte des sons de Port-au-Persil dès le lever du soleil.

Quelques maisons et une vue de l'anse.

Le ruisseau et sa chute couvrent de leur bruissement cet endroit secret.

Les granges de ce type, avec un étage supérieur en encorbellement et des murs en pièce sur pièce, seraient d'origine allemande. Elles ont été érigées au milieu du XIXe siècle par d'anciens mercenaires à qui les autorités avaient offert des terres dans la région.

Un cas de paresse ? Quelques oies ont élu domicile à Port-au-Persil pour l'été.

Saint-François-de-la-rivière-du-Sud
Saint-Michel-de-Bellechasse
L'Islet-sur-Mer
Village-des-Aulnaies
Kamouraska
Notre-Dame-du-Portage

Côte-du-Sud

Nous avons choisi de détacher de la région administrative dite « Chaudière-Appalaches » cette portion de pays riverain qui inclut les territoires de Bellechasse, de Montmagny et de L'Islet. En effet, l'ancienne Côte-du-Sud a gardé son identité, certes reconnue depuis longtemps, mais malheureusement négligée au fil des années à cause des découpages administratifs. Cette région, riche et encore méconnue des touristes, offre des paysages maritimes et agraires admirables qui abritent plusieurs villages pittoresques parmi les plus remarquables du Québec.

La partie la plus ancienne de la Côte-du-Sud s'étend en bordure du fleuve sur une distance de près de 150 kilomètres entre Montmagny et Rivière-du-Loup. Elle occupe sur le bord sud de l'estuaire une mince bande de terre dont la largeur varie entre 5 et 10 kilomètres. Ce territoire de faible altitude, à moins de 160 mètres, est propice à l'agriculture. C'est à partir de la fin du XVIIe siècle que s'y établirent les premiers colons.

Au début du XVIIIe siècle, la région ne compte pas plus de 1000 habitants, concentrés sur le rebord de l'estuaire dans la partie sud. Les paroisses du littoral apparaissent dans la première moitié du XVIIIe siècle. Elles donnent naissance à des groupements d'habitations villageoises dont Saint-Michel-de-Bellechasse, Saint-Roch-des-Aulnaies et Saint-Louis-de-Kamouraska, suivis après 1760 par Saint-François-de-la-Rivière-du-Sud, légèrement en retrait dans l'arrière-pays, et par Notre-Dame-du-Portage.

Les plus vieux villages occupent la bordure de l'estuaire, de part et d'autre de l'ancienne côte, aujourd'hui la route 132. Les constructions s'égrènent en de longs filaments distendus, dont les renflements typiques recèlent en général des bâtiments publics organisés autour de l'église et du presbytère, puis des boutiques d'artisans et de petits commerces. Dans la partie inférieure de cette région, le village de Saint-Michel-de-Bellechasse, à cause de son site naturel, se démarque des autres puisqu'il occupe l'extrémité nord des basses terres appalachiennes, dans une petite cuvette au milieu d'une grande plaine ondulée. De l'autoroute 20, légèrement en surplomb, le village se découpe d'ailleurs sur un panorama unique avec les Laurentides en arrière-plan. C'est une des vues les plus impressionnantes de ce tronçon de l'autoroute.

Tout le littoral de la Côte-du-Sud est ponctué d'îles et d'estrans. De nombreuses battures et plusieurs marais littoraux offrent un refuge

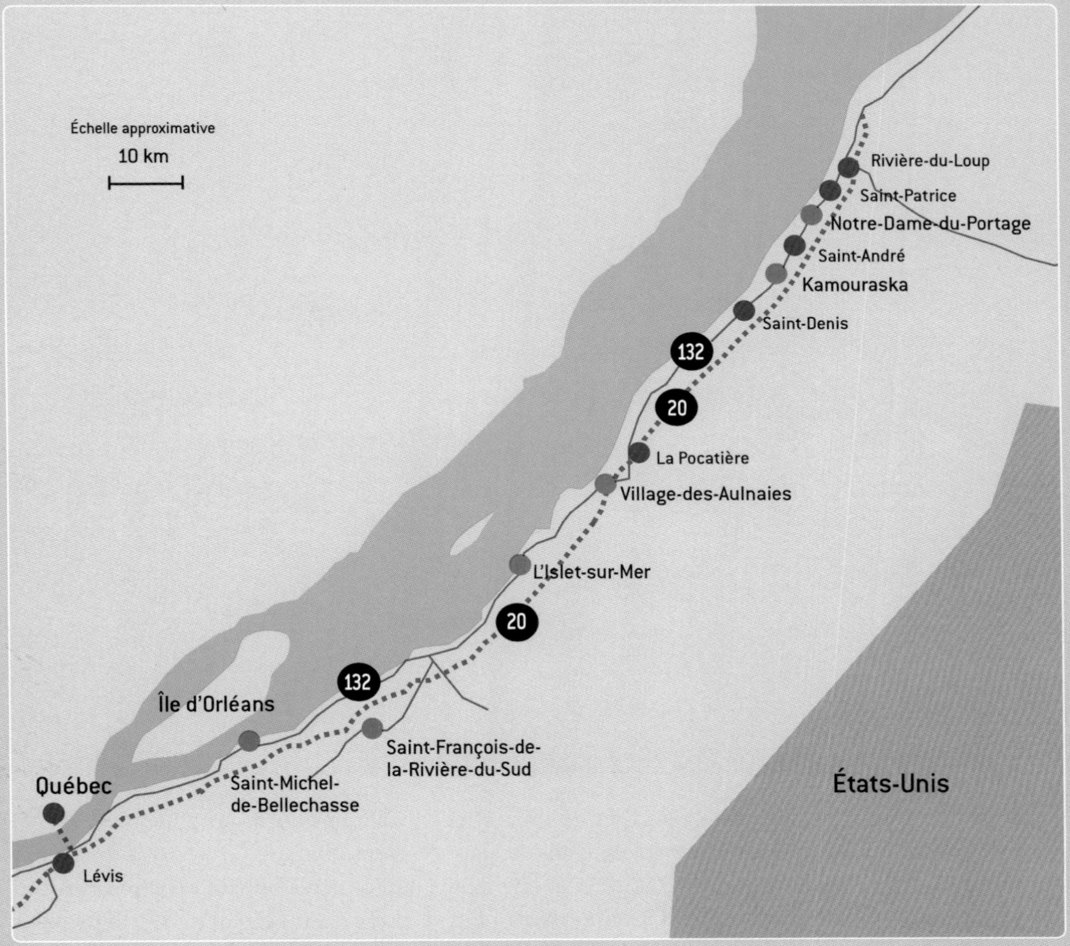

Échelle approximative
10 km

Rivière-du-Loup
Saint-Patrice
Notre-Dame-du-Portage
Saint-André
Kamouraska
Saint-Denis
132
20
La Pocatière
Village-des-Aulnaies
L'Islet-sur-Mer
20
132
Île d'Orléans
Saint-François-de-la-Rivière-du-Sud
Saint-Michel-de-Bellechasse
Québec
Lévis
États-Unis

© Yves Laframboise

aux diverses espèces d'oiseaux qui y gîtent en très grand nombre. Parallèlement au fleuve, une succession de crêtes rocheuses dont la hauteur varie entre 10 et 30 mètres ponctuent un paysage autrement tranquille ; à Kamouraska, ces aspérités coexistent pacifiquement avec les constructions humaines, à moins qu'elles n'aient pris d'assaut les rochers comme c'est le cas à Saint-François-de-la-Rivière-du-Sud.

À Kamouraska, l'arrière-pays est marqué par un relief dur, où des lambeaux de terre butent sur des crans rocheux et des collines.

Diverses activités traditionnelles ont laissé leurs traces dans le paysage : de petits moulins à scie non loin des chutes des rivières, des pêches s'avançant hardiment dans l'estuaire, des vestiges de quais évoquant un trafic maritime jadis omniprésent, ou alors ce sont les terres labourées et les prés fauchés, les pâturages, les cédrières et les vergers. Ainsi, on peut dire que la Côte-du-Sud et ses villages typiques, surtout la partie plus à l'est, offrent aujourd'hui un potentiel touristique extraordinaire. Il reste à souhaiter qu'on développera cette industrie en préservant l'intégrité des lieux habités et le côté rude du cadre naturel.

Saint-François-de-la-Rivière-du-Sud

Un village bien agrippé à son rocher

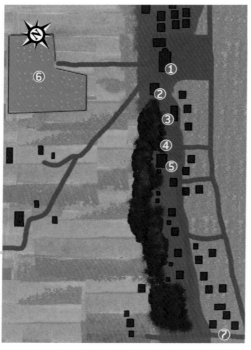

1. Église
2. Presbytère
3. Ancien presbytère
4. Calvaire
5. Couvent
6. Cimetière
7. Chemin du Rocher

À l'est de Québec, sur la rive sud du Saint-Laurent, une bande littorale de faible altitude s'insère entre les hauts plateaux intérieurs et le fleuve. L'érosion, qui a nivelé le paysage, a laissé çà et là des crêtes rocheuses arrondies. Dans la plaine de Bellechasse, quelques affleurements minces et effilés, émergeant à certains endroits à la surface des terres agricoles, marquent le paysage local. C'est sur l'un d'eux que s'agrippe avec ténacité Saint-François-de-la-Rivière-du-Sud, avec ses maisons et ses bâtiments institutionnels de la première moitié du XIXe siècle.

Ce village fait partie de la Côte-du-Sud, l'une des plus anciennes régions habitées du Québec où la seigneurie de Bellechasse fut concédée aussi tôt que 1637. Étalée de Beaumont à Saint-Patrice-de-Kamouraska, elle a été habitée dès la seconde moitié du XVIIe siècle. Son peuplement a mené à la création de plusieurs vieilles paroisses littorales comme Saint-Michel-de-Bellechasse, Saint-Vallier et Berthier-sur-Mer.

Le paysage agricole de Saint-François-de-la-Rivière-du-Sud a été façonné pendant près de deux siècles par une population vivant presque uniquement de la terre. Les premiers colons, originaires de Montmagny, de Berthier ou de l'île d'Orléans, arrivèrent dans la région au début du XVIIIe siècle. La présence de huit familles fut signalée le long de la rivière du Sud en 1721. À l'époque, l'économie était axée sur la production céréalière, l'élevage de vaches laitières, de porcs et de moutons. En 1862, trois moulins à farine, quatre scieries, trois moulins à carder et une tannerie constituaient l'essentiel de l'industrie locale. Il fallut attendre le tournant du XXe siècle pour que d'autres activités complètent l'industrie jusque-là traditionnelle : fabrication de moulins à battre le grain, fabrication industrielle de roues à jantes de bois cerclées de fer, fabrication d'outils, de mobilier pour enfant, etc.

Le village se dresse sur un site inusité. Le rang du Nord, un filament rectiligne parallèle au fleuve, s'étire en suivant la crête d'une longue ondulation dont la hauteur varie entre 40 et 50 mètres et dont la longueur excède un kilomètre. Des maisons de ferme érigées au milieu de grandes étendues cultivées en occupent les douces pentes inférieures. Au centre, un button rocheux émerge à une hauteur variant entre 10 et 20 mètres. Cette grande masse s'étale sur environ 500 mètres de longueur sur une largeur moyenne de 60 mètres. Sa surface, où alternent les replats et les éperons arrondis, est couverte d'une végétation clairsemée. Le côté nord présente un escarpement, tandis que le côté sud comporte une étroite corniche sillonnée par un petit chemin pittoresque. Cette voie qui longe tout le button relie de petites habitations en bois à l'extrémité est, centre du village où l'on trouve l'église entourée des bâtiments institutionnels.

Ce button rocheux, sur lequel se collent les unes aux autres des maisons anciennes, présente un relief guère propice à la construction de nouvelles maisons. Même s'il est en grande partie occupé par des propriétés privées, il comporte cependant un étroit chemin asphalté carrossable. Toutefois, il est plus facile de le visiter à pied. Un petit sentier bordé d'arbres mène à la chapelle, à la place de l'église et au chemin du cimetière. C'est d'ailleurs du cimetière qu'on a la meilleure vue sur cette curieuse agglomération implantée dans la plaine de Bellechasse.

Ignoré des touristes même si on peut le voir de l'autoroute, le village de Saint-François-de-la-Rivière-du-Sud a encore aujourd'hui une vocation essentiellement agricole. Des efforts locaux en vue mettre en valeur le site institutionnel ont abouti en 2003 au réaménagement de l'espace compris entre l'église et le couvent, contribuant ainsi largement à l'amélioration esthétique du site.

La plaine agricole de Bellechasse et, à droite, le button rocheux. Sur cette grande forme allongée sont regroupés les bâtiments institutionnels et une partie du noyau villageois.

Côte-du-Sud ◙ Saint-François-de-la-Rivière-du-Sud

257

Le noyau institutionnel (SH)

L'église, construite en 1865 d'après les plans de François-Xavier Berlinguet, correspond à la limite « est » du noyau institutionnel. Le presbytère actuel, construit en 1881, lui fait face. À environ 90 mètres à l'ouest, sur la partie la plus haute du button, se trouvent le couvent, édifié en 1883, et un calvaire (reconstruit en 1881), avec sa croix et une petite grotte. En face se profile la masse imposante de l'ancien presbytère (MH), érigé en 1760 et agrandi en 1811.

Le cimetière

Derrière l'église commence le petit chemin menant au cimetière qui est situé en contrebas du button. De cet endroit, on a une belle vue d'ensemble sur le village.

Des maisons agrippées au button

Du côté est, derrière l'église, mais surtout du côté ouest, quelques belles maisons anciennes surplombent le village. Les solages (fondations), formés de grosses pierres à peine équarries, d'origine granitique, s'agrippent aux aspérités du relief irrégulier.

Le deuxième presbytère, construit en 1881.

Le vieux presbytère, une construction de 1760 augmentée d'une rallonge en 1811.

Les maisons sont accrochées à la formation rocheuse.

Le sentier piétonnier

Au sommet du button, un étroit sentier pittoresque, qui traverse une zone boisée sur une bonne longueur, conduit à une petite chapelle et à la croix.

La place de l'église, vue depuis le cimetière.

Le couvent, une imposante construction de pierre granitique érigée en 1883.

C'est un peu à l'écart
du noyau institutionnel,
du côté nord du button
rocheux, que prend
place le cimetière.

Sur une faible arête
ondulée, les pierres
tombales et plusieurs
arbres forment un
grand rectangle ceint
d'une clôture et
entièrement entouré de
terres agricoles. Un
chemin y mène à partir
de l'église.

Le site dégage
beaucoup de charme,
notamment en fin de
journée, lorsque le
soleil couchant achève
d'éclairer la plaine.

Plusieurs petits chemins parcourent le button rocheux, donnant accès aux maisons, au noyau institutionnel ainsi qu'au cimetière. Un étroit sentier, sinueux, serpente le sommet du rocher d'est en ouest et relie un calvaire et une chapelle à l'église.

Le chemin principal,
qui relie l'église et
l'ancien presbytère au
couvent d'est en ouest.

Au centre du button,
l'un des accès menant
au calvaire.

Le couvent, à l'extrémité
ouest du noyau
institutionnel.

Côte-du-Sud

> Saint-Michel-de-Bellechasse

Un bourg de 1754 dans la plaine côtière de Bellechasse

À quelques kilomètres à l'est de Beaumont, on gravit peu à peu une longue inclinaison de l'autoroute Jean-Lesage au sommet de laquelle on surplombe le fleuve. Là où la voie commence à descendre apparaît l'un des panoramas les plus spectaculaires de la rive sud. On aperçoit dans une succession de plans une vaste plaine agricole, le fleuve, l'île d'Orléans et, au loin, la chaîne des Laurentides. Au milieu de ce paysage immense, sorte de théâtre naturel, surgit le clocher de l'église du village de Saint-Michel-de-Bellechasse.

Depuis des siècles, la plaine littorale de Bellechasse abrite de paisibles villages ruraux ayant une vocation maritime et agricole. C'est le cas de Saint-Vallier, Beaumont et Saint-Michel. Que reste-t-il aujourd'hui des villages traditionnels de cette région côtière? Saint-Michel témoigne particulièrement de ce passé.

Tout autour de l'église et le long de la rue principale se dessine un petit réseau de rues étroites, traces de l'ancien bourg de 1754. Le patrimoine architectural comporte surtout des maisons de la seconde moitié du XIXe siècle et du début du XXe siècle.

Il faut remarquer la facture soignée de certains détails architecturaux, les garde-corps des galeries et les balustres aux formes variées, certains bombés d'autres élancés, qui foisonnent. À noter aussi les porches d'entrée dont plusieurs, érigés sur deux étages de la maison, font saillie en façade comme la proue d'un navire. L'implantation des maisons marque aussi le paysage villageois. Des rues très étroites mènent de la rue principale à la grève. Le long de

1. Église
2. Quai et marina
3. Sanctuaire Notre-
   Dame-de-Lourdes
4. Rue Saint-Joseph
5. Fleuve Saint-Laurent

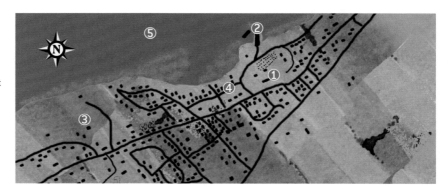

la rue La Durantaye, les maisons ne font pas face à la voie publique, mais s'alignent sagement l'une derrière l'autre, face au fleuve.

Saint-Michel-de-Bellechasse, un village sis dans une sorte de cuvette au bord du fleuve Saint-Laurent.

Le territoire actuel de Saint-Michel fait partie de l'ancienne seigneurie de La Durantaye, devenue une paroisse en 1693. En 1714, le territoire est scindé à cause de l'augmentation croissante de la population. La partie située à l'est de la rivière Boyer se détache pour former par la suite la paroisse de Saint-Vallier, alors que la partie située à l'ouest garde son nom d'origine de Saint-Michel de La Durantaye, reçu en 1698. On érige un premier temple paroissial en 1736 et un presbytère en 1739. Un bourg est créé en 1754 et, presque un siècle après, le village – incorporé en 1845 – devient le chef-lieu du comté de Bellechasse, soit en 1849. En 1852, avec 20 maisons en pierre et 341 en bois, Saint-Michel est l'une des principales paroisses du comté, même si le centre commercial et artisanal se trouve à Beaumont.

À cette époque, Saint-Michel commence à forger son identité propre. Des établissements d'enseignement apparaissent : on construit un collège en 1853 et une académie pour jeunes filles en 1861. À la fin du XIXe siècle, artisans, petits commerçants, pilotes et navigateurs forment le gros de la population active. Le quai assure la liaison avec Québec et ses environs. En plus de favoriser le commerce, il aide au développement des activités touristiques, largement organisées autour de la fréquentation du sanctuaire Notre-Dame de Lourdes. Plusieurs hôtels occupent le centre du village. C'est un endroit couru : il attire des notables qui y installent leurs grandes résidences.

Ce phénomène s'est perpétué au XXe siècle, mais sous une autre forme : sensibles aux charmes des maisons anciennes, des citadins ont acquis de vieilles habitations centenaires et les ont transformées en résidences secondaires. Au fil des années, la popularité de Saint-Michel n'a cessé de croître et on y voit de plus en plus de visiteurs. D'où l'apparition, à partir des années 1960, de plusieurs campings qui accueillent les touristes pendant l'été. Une grande marina s'est plus tard ajoutée au bord du fleuve à proximité de l'église. Un club local organise aussi des excursions en kayak de mer.

Vue du village et de son noyau institutionnel en fin de journée...

Érigée en 1879, la chapelle Notre-Dame-de-Lourdes, à l'entrée ouest du village, a accueilli de nombreux pèlerins attirés aussi par Saint-Anne-de-Beaupré, où ils pouvaient se rendre par bateau.

Le noyau institutionnel

L'église a été reconstruite en 1872 selon les plans de l'architecte Joseph Ferdinand Peachy. Le presbytère actuel fut construit en 1739, puis transformé en 1808 et en 1857. Le couvent Jésus-Marie date de 1890.

Les anciennes chapelles

Comme le veut une tradition française très ancienne, il y avait autre-

fois des chapelles de procession aux extrémités du village. Aujourd'hui, il n'en reste plus qu'une, vraisemblablement construite en 1905 d'après les plans de Charles Baillairgé.

Le cœur du village

Étalé dans une sorte de grande cuvette, le cœur du village est représentatif d'une concentration typique du XIXe siècle. Il s'agit en fait des vestiges du vieux bourg dont les limites furent tracées en 1754. La rue Principale le divise nettement en deux parties d'égale importance. Aux abords, on remarque plusieurs commerces, des résidences et des lieux d'hébergement, notamment l'hôtel Saint-Michel. Plusieurs petites rues transversales traversent l'artère principale et forment une trame serrée. La densité du noyau villageois est telle qu'il faut se rendre à la place de l'église pour pouvoir admirer le fleuve.

La rue Saint-Joseph

Un alignement régulier de maisons au même air de famille borde le côté nord de la rue Saint-Joseph. Jadis, beaucoup de marins et de navigateurs y logeaient: témoin, les maisons aux numéros 6, 7 et 8, autrefois occupées par des pilotes.

Le sanctuaire Notre-Dame de Lourdes

En 1879, on procéda à la construction d'une chapelle dédiée à Notre-Dame de Lourdes sur un promontoire à l'ouest du village. Ceux qui la fréquentaient pouvaient, lors de leur pèlerinage, se rendre aussi à Sainte-Anne-de-Beaupré en bateau à vapeur.

À la sortie est du village, la chapelle Sainte-Anne, érigée en 1905.

Implantation inusitée le long de la rue La Durantaye.

Statue sur le site de la chapelle Notre-Dame-de-Lourdes.

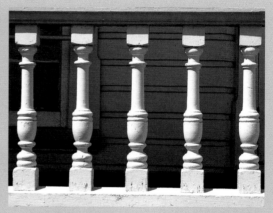

On observera dans l'architecture résidentielle de Saint-Michel la variété des balustres de galerie. Ils sont le plus souvent en bois mais quelques spécimens sont en fonte. Les balustres étaient très à la mode au siècle dernier. La plupart des entreprises de moulins à scie vendaient plusieurs modèles d'éléments de menuiserie, dont notamment les colonnes, les modillons, les rampes et les balustres, fabriqués mécaniquement. On disposait même de catalogues avec modèles numérotés.

Le village, sa place publique et ses rues bordent le
fleuve.

La rue Saint-Joseph, flanquée de part et d'autre de
belles maisons dont plusieurs ont hébergé des
navigateurs.

ADRESSE UTILE

 Explore Kayak de mer. Excursions sur le fleuve à partir de la marina.
Tél. : 418-884-2441

Côte-du-Sud

▷ L'Islet-sur-Mer

Village de traditions séculaires

Parmi les innombrables courbes de la route 132 dans son lent parcours de la Côte-du-Sud, celles qui vous amèneront entre Cap-Saint-Ignace et Saint-Jean-Port-Joli tout le long du fleuve vous feront découvrir un village de bord de mer aux traditions séculaires.

D'abord initié par quelques colons à la fin du XVIIᵉ siècle, le peuplement local donne lieu à l'ouverture de registres de paroisse dès 1679. Essentiellement agricole, la communauté se développe lentement et accueille son premier curé résidant en 1745. La municipalité de paroisse est érigée en 1855, peu après l'érection municipale survenue en 1845. Ces deux entités sont réunies en 1911 et forment une nouvelle entité municipale, elle-même reformée en 2000 à partir des municipalités de L'Islet-sur-Mer, de Saint-Eugène et de l'ancienne ville de L'Islet.

Le toponyme islet identifie un rocher important situé à l'est du quai actuel et décrit par Joseph Bouchette en 1815.

Même si l'histoire du développement de la municipalité repose grandement sur l'agriculture, il n'en demeure pas moins que le titre dont les L'Isletains sont le plus fiers est celui de Patrie des marins. En effet, la population locale a fourni un lot important de navigateurs qui ont sillonné le Saint-Laurent

1. Église et place publique
2. Salle publique
3. Emplacement du musée maritime Bernier

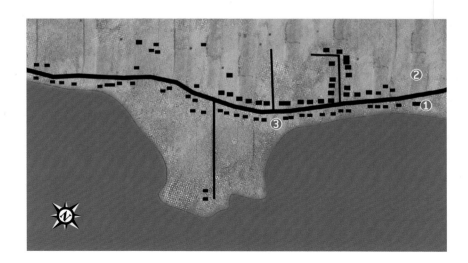

et contribué au commerce maritime. Mais ce n'est qu'en 1852 qu'un quai sera construit, permettant par la suite aux goélettes d'accoster et de charger le bois produit localement.

Parmi ces navigateurs se distingue le capitaine Joseph-Elzéar Bernier (1852-1934). Il commence à naviguer dès 1866, à l'âge de 17 ans et obtient le brevet de capitaine au long-cours en 1872. Il accomplit plusieurs voyages dans le Grand Nord canadien de 1904 à 1925. C'est en juillet 1909 qu'il prend possession de territoires arctiques au nom du Canada.

Aux traditions maritimes locales s'ajoutent les traditions liées à la transformation du bois. Le commerce du bois, activité importante au XIXe siècle, se poursuit au XXe siècle par la création d'une importante usine de fabrication de machines à bois. Joseph Poitras avait déjà construit en 1911 un moulin à scie. À partir de 1935, son entreprise fabrique les célèbres machines à bois connues de tous les artisans du bois du Québec : scies à ruban, raboteuses, dégauchisseuses, façonneuses, encore appréciées aujourd'hui. Une fonderie est créée en 1945 et en 1948, l'entreprise s'incorpore sous le nom de Jos. Poitras & Fils Ltée. Quant à la production locale de bois, la tradition se maintient encore aujourd'hui avec l'entreprise Les Bois Thériault Inc. qui possède son moulin à scie.

Fruit d'activités économiques locales diversifiées, le bâti ancien de L'Islet se trouve tant en milieu rural qu'en milieu villageois mais celui qui retient ici notre attention consiste en un regroupement dense formé de deux alignements

Vue aérienne de L'Islet-sur-Mer à marée basse.

Côte-du-Sud ▲ L'Islet-sur-Mer

Bateaux au repos, derrière le musée maritime.

de part et d'autre de la route 132. On le remarque dès le début de notre parcours à partir de la place de l'église. En quelques courbes successives, l'architecture traditionnelle locale nous offre ce qu'elle a de plus beau et de plus typique : des constructions principalement de la seconde moitié du XIXe siècle et de la première moitié du XXe siècle où alternent les maisons québécoises aux ornements la plupart d'esprit néo-classique, des maisons de style Second Empire, et quelques constructions à toit plat plus tardives. L'ensemble a ceci de remarquable qu'il est dense, homogène, et presque ininterrompu si ce ne sont que quelques commerces. S'y distinguent l'église, qui donne le signal de départ du parcours, la salle des habitants, l'ancien couvent abritant aujourd'hui le musée maritime, et La Couillardière, une petite maison d'esprit néo Queen Anne.

Le musée maritime

Le couvent est une belle construction en pierre granitique réalisée en 1877-1878, exhaussée et agrandie en 1904. Il abrite aujourd'hui le musée maritime.

Le musée maritime du Québec date de 1968. On peut y voir, en plus des salles d'exposition, la chalouperie, et quelques navires. Le musée est propriétaire du voilier *J. E. Bernier II* acheté en 1980, du brise-glace *Ernest Lapointe* acquis en 1980 et de l'hydroptère *Bras-D'Or 400*. On pourra aussi visiter le parc Hydro-Québec formé de sentiers le long du fleuve.

L'église (MH)

Une première église est construite en bois en 1700, suivie d'une plus grande église en 1721. L'église actuelle est construite vers 1780, mais la sacristie n'est terminée qu'en 1799. Par la suite, plusieurs travaux en modifient l'apparence : agrandissement de 10 mètres en 1830 et nouvelle façade avec deux tours, sacristie reconstruite en 1840, nouvelle réfection de la façade vers 1882 d'après les plans de David Ouellet. La décoration intérieure a fait appel à plusieurs artistes : retable de 1783 à 1785 exécuté par Jean et François Baillairgé, retables des chapelles latérales par Pierre-Florent Baillairgé de 1805 à 1809, tabernacle du maître-autel par Noël Levasseur, tombeau par François Lemieux en 1827, arcades et pilastres de la nef par Amable Charron en 1812, voûte actuelle en plâtre d'après les plans de François-Xavier Berlinguet. Les tableaux sont de l'abbé Aide-Créquy, Louis Dulongpré et Antoine Plamondon.

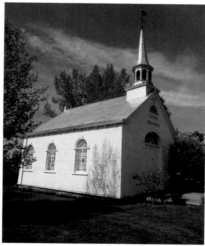

L'entrée du musée maritime, l'attraction culturelle principale du village.

La chapelle des Marins.

La chapelle des marins (MH)

La chapelle des marins est située en bordure de la route principale (ou route 132). C'est un édicule très bien entretenu, construit en 1834, et dédié à Saint-Joseph. Son décor classique avec porte double et imposte semi-elliptique en fait une jolie réalisation architecturale.

La salle des habitants, à côté du cimetière.

La Couillardière a été construite en 1894 par Omer Couillard (1860-1942), charpentier-ébéniste, après son retour de Chicago où il avait travaillé plusieurs années. La maison s'inscrit dans la lignée d'inspiration néo Queen Anne de la fin du XIXe siècle. Le propriétaire avait aménagé à l'avant des jardins et planté des arbres fruitiers. L'élargissement de la route a amené la disparition de ces aménagements d'esprit anglo-saxon. On doit à Omer Couillard la construction de quelques maisons du village ainsi que la galerie du presbytère.

> *L'église et le presbytère sont situés sur le bord du Saint-Laurent,*
> *près d'une pointe de terre, sur laquelle est placée la station de télégraphe No 7;*
> *à la haute marée, cette pointe est complètement isolée, et c'est de là que la*
> *seigneurie tire son nom d'Islet de St. Jean.*
>
> Joseph Bouchette, 1815

Un alignement type villageois, dominé par une architecture résidentielle de la seconde moitié du XIXe siècle et du début du XXe siècle.

Plusieurs gîtes du passant prennent place dans des résidences patrimoniales.

ADRESSES UTILES

H Les voyageurs de passage à **L'Islet-sur-Mer** trouveront facilement à se loger grâce à de nombreux gîtes du passant, la plupart installés dans des maisons d'intérêt historique sur la rue principale, au cœur du noyau villageois. On en trouvera la liste dans le site Web municipal : www.lislet.com

Musée maritime du Québec.
Ouvert à l'année.
Tél.: 418-247-5001
Courriel: info@mmq.qc.ca

▷ Village-des-Aulnaies

Petit hameau massé autour d'un manoir seigneurial

1. Manoir Dionne
2. Moulin Banal
3. Rivière Ferrée
4. Route 132

Sur la route 132, en quittant le village de Saint-Roch-des-Aulnaies vers l'est, et après avoir longé le fleuve sur une distance de deux kilomètres, on arrive à une petite agglomération appelée Village-des-Aulnaies. Ce hameau, sis sur les deux berges de la rivière Ferrée, à environ 400 mètres de la rive du fleuve, a son histoire propre, même s'il fait officiellement partie de Saint-Roch-des-Aulnaies.

La seigneurie de la Grande-Anse, dont fait aujourd'hui partie le territoire de Saint-Roch-des-Aulnaies, fut concédée en 1656. Son territoire, érigé en paroisse en 1721, accéda au statut de municipalité en 1845. La lignée des seigneurs Juchereau détint les titres de propriété de 1656 jusqu'en 1837, année où ils furent dévolus à Amable Dionne, propriétaire d'un magasin général à Kamouraska et maire du village pendant presque trente ans. Amable Dionne, qui avait acheté le moulin quelques années auparavant, le fit reconstruire en 1842 et ne tarda pas à y ajouter une scierie. Lorsqu'il devint seigneur, il se fit bâtir un manoir sur le plateau supérieur et son fils, adepte du courant Pittoresque, s'occupa de l'aménagement des jardins. À la fin du XIXᵉ siècle, Village-des-Aulnaies formait dans la municipalité une sorte de second village, appelé aussi Village-d'en-Bas. Plusieurs bâtiments à caractère commercial ou industriel en formaient le petit noyau industriel. La plupart de ces constructions ont subsisté. Groupées autour du manoir et du moulin seigneurial, elles évoquent ces hameaux du XIXᵉ siècle formés à l'initiative de seigneurs entreprenants. Aujourd'hui, Village-des-Aulnaies est doté d'un centre d'interprétation consacré au système seigneurial.

Un site accidenté, dont les bâtiments sont concentrés sur un petit espace, à côté de la rivière Ferrée.

Une vue d'ensemble du site montrant aussi le moulin.

Le manoir Dionne (MH)

À une époque où les bourgeois se faisaient construire de belles villas à la campagne, Charles Baillairgé (1826-1906), qui excellait dans ce genre, dressa les plans du manoir d'Amable Dionne. La construction eut lieu de 1850 à 1853. Aujourd'hui, le manoir, un petit pavillon connu sous le nom de Trianon et un hangar, sont classés monuments historiques.

En dérivant les eaux de la rivière Ferré, les propriétaires créèrent un étang à proximité d'un jardin floral, d'arbres fruitiers et d'une pinède. Ils ajoutèrent des bosquets, des parterres et des jardins, parcourus de sentiers qu'ils agrémentèrent de kiosques, de pavillons et de belvédères. Le manoir, le moulin et une vingtaine d'acres de jardins sont ouverts au public.

La façade du moulin.

Le manoir Dionne, une villa dans le goût du milieu du XIXᵉ siècle.

À l'arrière du manoir, une pinède entourée de bosquets, de jardins floraux et d'arbres fruitiers.

L'entrée arrière du moulin.

Le moulin banal

Construite en 1842, cette grosse bâtisse en pierre de trois étages a été acquise par la Corporation touristique de la Seigneurie des Aulnaies en 1975. Elle est classée monument historique.

Les maisons bourgeoises

Certaines maisons rappellent qu'une bourgeoisie locale s'était établie dans le village dès la fin du XVIIIᵉ siècle. Une grande maison en pierre, inspirée du style palladien, fut construite en 1785 pour le marchand Pierre Miville-Deschênes. Une autre fut érigée en 1859 pour Jean-Baptiste Dupuis, autrefois député du comté de L'Islet.

ACCUEIL
FARINE
SOUVENIRS
MANOIR
TABLES DE
PIQUE-NIQUE

Cette maison a appartenu à Jean-Baptiste Dupuis, autrefois député du comté de L'Islet.

La maison Miville-Deschênes, ancienne résidence de marchand.

La rivière Ferrée a creusé profondément son cours dans un sol aux roches friables.

ADRESSE UTILE

Le moulin banal. Visite du moulin. Boutique de produits dérivés de la farine et café-terrasse.

Tél. : 418-354-2800

⟩ Kamouraska*

La beauté conjuguée des paysages agraires et maritimes

La région de Kamouraska présente les paysages agraires parmi les plus pitto-resques du Québec et des panoramas d'une grande beauté. Une bande de terre dont la largeur varie de quelques kilomètres s'insère entre le Saint-Laurent et les hautes terres des Appalaches. Elle forme une grande plaine qui s'appuie au premier contrefort des montagnes. Des terrasses et des cordons graveleux étroits s'allongent en bordure du fleuve.

Rarement uniformes, ces basses terres sont parsemées de petites collines rocheuses aux sommets arrondis se hérissant à des hauteurs qui varient de quelques dizaines à quelques centaines de mètres. Les lambeaux de plaine sont modelés par l'homme et transformés en champs cultivés, en bocages ou en cédrières. Égarée dans ce paysage, la rivière Kamouraska sillonne l'arrière-pays, s'entrelace d'est en ouest au milieu de terres fertiles puis, devenue aventureuse, elle s'avise de traverser les battures pour se jeter dans le fleuve

* SP

*Le village de
Kamouraska,
sur la plaine
côtière.*

à peu près à la hauteur du premier site de peuplement des lieux, le Berceau-de-Kamouraska. Quelques rangs, dont les noms évoquent le quotidien des premiers colons, s'accommodent tant bien que mal de ce relief; ils abritent des fermes dispersées dans les rangs du Moulin, de l'Embarras, du Petit-Village, des 14 arpents…

Telle est la scène du côté sud. Mais du côté nord, quel contraste! Les battures s'étendent à perte de vue au pied du fleuve. Des collines rocheuses submergées forment des îles à l'aspect rude. Et au loin, par temps clair, le regard se porte de l'autre côté du fleuve, dans un panorama grandiose dominé par un immense colosse allongé, la chaîne des Laurentides.

Sur l'un de ces morceaux de la plaine en bordure de l'estuaire apparaît le village de Kamouraska, étalé sur deux niveaux. Le niveau inférieur, à quelques mètres au-dessus de la mer, donne accès au quai et à quelques rues. Le plus haut, à environ 7 mètres, renferme les bâtiments institutionnels et l'essentiel du centre du village, aligné de part et d'autre de l'avenue Morel (la route 132), qui tient lieu de rue principale. L'occupation du territoire remonte à la fin du XVIIe siècle.

La concession de la seigneurie de Kamouraska en 1674 fut suivie en 1692 par la venue de premiers colons. Une première église fut érigée en 1709. En 1723, un petit établissement comptant 37 familles vivait de la pêche et de la production de goudron. En 1791, la colonie primitive se déplaça sur le site actuel et s'organisa autour de la deuxième église, inaugurée en 1793.

▶ Côte-du-Sud ▶ Kamouraska

Le tracé de l'avenue Morel, bordé de belles maisons villageoises, surplombe le petit quartier du quai, situé légèrement en contrebas.

Au début du XIXᵉ siècle, Kamouraska était à la veille d'atteindre sa maturité. La petite communauté exportait ses produits agricoles par bateau et elle était en train de se faire une réputation comme lieu de villégiature. L'agglomération, qui comptait une soixantaine de maisons, pour la plupart construites en bois, était un centre important de la région. Elle devint en 1849 le siège de la Cour supérieure de justice des comtés de Kamouraska et de Rimouski et obtint le statut de village en 1858. En 1861, Kamouraska venait au deuxième rang des villages du comté pour le plus grand nombre de commerces et de boutiques. En 1881, le nombre de maisons avait plus que doublé. Elles abritaient 154 familles comprenant 771 personnes, toutes d'origine française à l'exception de 13 Irlandais.

Mais à la fin du siècle, on assista à un net ralentissement du développement du village attribuable à plusieurs causes : la localisation de la ligne de chemin de fer du Grand-Tronc dans l'arrière-pays, l'apparition de la navigation à vapeur et l'essor de Rivière-du-Loup comme centre économique et portuaire. Malgré tout, Kamouraska est demeuré un centre de villégiature recherché par les citadins, qui apprécient ses belles plages pendant la saison estivale. Aujourd'hui, sa popularité n'a pas fléchi mais, heureusement, elle n'a pas augmenté à un point tel que cela pourrait avoir des effets négatifs sur l'aspect du village et sur ses environs.

Le paysage urbain et les édifices publics

L'avenue Morel est le point le plus élevé de Kamouraska. Elle occupe une sorte de terrasse sur laquelle se trouvent les deux pôles publics du village : les bâtiments religieux – l'église, le presbytère et l'ancien couvent –, et les anciens édifices administratifs – le palais de justice. L'extrémité est du village est plutôt arborée et la vue se limite aux édifices disséminés de part et d'autre de l'axe routier. Par contre, à l'extrémité ouest, une pente raide donnant accès à la rue principale révèle des vues remarquables sur le quai, le fleuve et les îles.

Non loin du quai, le secteur des avenues Chassé et Leblanc regroupe un grand nombre de petites maisons de villégiature, la plupart alignées face au fleuve.

Il faut souligner l'intérêt de quelques édifices : l'église, reconstruite en 1914 à même les murs de l'église

précédente érigée en 1791 ; le presbytère (construit en 1849) ; l'ancien couvent, occupé par le Musée de Kamouraska, consacré à l'ethnologie régionale, et le palais de justice érigé en 1889 dans un style vaguement Château (et transformé en centre d'interprétation MC).

Situé sur une légère proéminence, le noyau villageois est dominé par une église bien proportionnée en brique beige érigée en 1914.

Vue en direction de l'ouest.

Les battures et le quai, paysage typique de la région.

Un petit kiosque bien connu, témoin de nombreuses confidences !

Les maisons et résidences bourgeoises

De belles résidences bourgeoises rappellent l'importance qu'avaient à Kamouraska les marchands, les commerçants et les hommes publics. La villa Saint-Louis (125, avenue Morel), construite en 1819 pour le marchand Pierre Dumas, a été habitée entre 1864 et 1891 par Adolphe-Basile Routhier, l'auteur des paroles de l'hymne *Ô Canada*.

La Maison aux volets bleus, construite à la fin du XVIIIe siècle par un marchand, fut vendue en 1860 au juge J. André Taschereau de la Cour supérieure de Kamouraska. Elle fut plus tard habitée par la famille Caroll, dont le fils Henry George a été lieutenant-gouverneur du Québec de 1929 à 1934.

Le berceau de Kamouraska (SP)

Sur le bord de la route, à environ deux kilomètres au nord-est du village actuel, un édicule de maçonnerie commémore le premier centre civil et religieux de Kamouraska. Les premiers colons érigèrent à cet endroit les deux premières églises du village entre 1692 et 1791. Encore aujourd'hui, le cimetière abrite les sépultures de ces pionniers.

Kamouraska décrit par ses visiteurs

« *The vicinity of Camourasca presents a scene, wild and romantic, being varied by islands, by level lands, and by rocky activities. The sulphureous springs found here, and the immense masses of broken rock, which appear to have been thrown together by some violent and uncommon effort of nature, afford grounds for supposing, that this part of the country has undergone material changes.* »

George Heriot,
Travels through the Canadas, *1807*

« *Le village de Kamouraska se trouve dans un site enchanteur, près du chemin principal. Il se compose de l'église, du presbytère et d'environ 60 maisons, la plupart en bois, quelques-unes en pierre et d'un style beaucoup supérieur aux autres. On y voit des familles tout à fait respectables, ainsi que quelques gros marchands et des artisans; un ou deux hôtels y donnent* un bon service aux voyageurs. Durant l'été de nombreux touristes séjournent à Kamouraska pour refaire leur santé, l'endroit ayant la réputation d'être l'un des plus sains de la province. C'est aussi une place d'eau où beaucoup de gens viennent prendre des bains de mer… En plus de ses pêcheries, la seigneurie offre des avantages pour le commerce : les goélettes de Kamouraska sont bien connues à Québec pour les grandes quantités de provisions qu'elles y déchargent : grains, bétail vivant, volailles, beurre, sucre d'érable, beaucoup de planches de construction.* »

Joseph Bouchette, *1832*

« *Le comté de Kamouraska possède dans son chef-lieu, beau et florissant village de Kamouraska, situé à 90 milles de Québec, une Prison et une Cour de Justice où se tiennent périodiquement les assemblées de la Cour criminelle, supérieure et de circuit…*

Les isles de Kamouraska, qui sont en front de la seigneurie de Kamouraska, ne sont d'aucune valeur, étant des rochers presque nus ou couverts de broussailles et de quelques petits arbres ; elles servent d'abris, cependant, aux petits bâtiments qui s'y réfugient. Plus loin, en descendant, se rencontrent les isles Pélerins, qui avoisinent les groupes dont j'ai parlé. »

Stanislas Drapeau, *1863*

« *Quelle existence charmante on mène ici. Kamouraska est un des endroits les plus intelligents de la province, quoiqu'y demeure Routhier, un des prophètes en retard du programme catholique. Vous trouverez ici toute une légion de jeunes gens instruits, déniaisés*

comme le sont peu de Canadiens, tout à fait de leur temps, libéraux en diable, absolument la chair et l'esprit qu'il faut pour la grande campagne électorale de l'année prochaine. Et les vieux ne le cèdent pas aux jeunes. Quels types ! Kamouraska est un endroit où les gens n'ont pas de semblables : tous diffèrent entre eux ; pareils originaux n'existent nulle part. Grands buveurs, grands mangeurs, grands chasseurs, grands parleurs ! »

Arthur Buies, Chroniques, 1873

Les Taché et le domaine seigneurial (4, avenue Morel)

La famille Taché a marqué l'histoire de Kamouraska. Pascal Taché (1757-1830) acquit la seigneurie de Kamouraska en 1790. À sa mort, elle fut partagée entre ses deux fils Louis-Pascal-Achille et Jacques-Wenceslas. Quelques années plus tard, un drame survint : au milieu de l'hiver 1839, on retrouva le corps de Louis-Pascal-Achille dans l'anse de Kamouraska. Il avait été assassiné à l'âge de 26 ans par un ami de passage, le Dr Holmes, de Sorel. Cette histoire a inspiré Anne Hébert, qui a écrit le roman *Kamouraska*, lequel a été mis en film par Claude Jutra. Certaines scènes ont été tournées à Kamouraska.

L'ancien manoir de la famille Taché a été détruit par un incendie en 1886. On trouve aujourd'hui sur le site une vaste résidence construite en 1887, un puits, un four à pain et les bâtiments aménagés pour le

Le palais de justice.

tournage des épisodes du téléroman *Cormoran*. Signalons que Jutra a filmé plusieurs scènes de *Kamouraska* à la maison Langlais, située à l'ouest du village (376, rang au Cap, à l'ouest du village).

Le moulin Paradis (chemin du Moulin)

Ce grand bâtiment en bois recouvert d'un toit brisé daterait de la fin du XIXe siècle. Il se trouve dans un endroit magnifique le long de la rivière Kamouraska, là où le cours d'eau dessine de nombreux méandres.

Les paysages de Kamouraska

Les paysages de Kamouraska sont remarquables par leur diversité. Le visiteur curieux, qui emprunte l'avenue Morel et les rues proches du quai, découvrira des vues variées sur le village, les battures et les îles de Kamouraska. À marée basse, on peut gagner à pied certaines îles. On peut parcourir l'arrière-pays en sillonnant les rangs : on admirera un paysage insolite dominé par les collines rocheuses. On peut avoir aussi une vue d'ensemble du paysage de Kamouraska de la montagne à Coton sur laquelle un belvédère a été aménagé. Pour faire l'ascension de cette montagne, on doit se rendre à l'accès qui se trouve près du village de Saint-Pascal, le long de la voie de service de l'autoroute.

Le visiteur qui emprunte l'ancienne route allant de Saint-Denis-de-la-Bouteillerie à Notre-Dame-du-Portage aura une bonne idée de l'aspect général du pays de Kamouraska.

La pêche, une activité traditionnelle qui persiste

La pêche est une activité qui marque le paysage de Kamouraska depuis toujours. Dès 1701, Charles Denys et deux marchands de Québec établirent une pêche à marsouins sur les battures et en 1724, il y en avait 17 sur les rives de la seigneurie. En 1755, on pêchait même la baleine pour se procurer de l'huile. Des projets sans lendemain, aussi surprenants qu'anciens, méritent d'être mentionnés : des alines en 1746 et une huîtrière en 1784.

Même les îles furent mises à contribution. En plus de servir d'abris, elles étaient des endroits propices pour installer des pêches, ce qui est encore le cas aujourd'hui. La pêche à l'anguille fait aussi partie des traditions locales. En 1871, dans la région de Kamouraska comme dans celles de Charlevoix et de Berthier, on pêchait ce poisson aux pérégrinations mystérieuses. Même si les prises ont diminué beaucoup au cours des dernières années, plusieurs habitants de Kamouraska continuent de pêcher l'anguille.

À chaque marée basse, on examine la pêche pour en constater l'état.

JOSEPH-CHARLES TACHÉ
1820-1894

Né à Kamouraska, Joseph-Charles Taché fut d'abord médecin puis fut élu député à l'Assemblée législative du Canada-Uni en 1847. Écrivain et journaliste, il est l'auteur de plusieurs légendes, entre autres des récits romancés Forestiers et voyageurs *(1863).*

Le moulin Paradis jouxte la rivière Kamouraska dans un joli site de l'arrière-pays.

Le domaine seigneurial Taché, qui a servi de décor pour le tournage de plusieurs épisodes du téléroman Cormoran.

Vue du pays de Kamouraska depuis le sommet de la montagne à Coton, qui est située tout près de l'autoroute 20.

(pages 292-293) Vue d'ensemble du village, avec en avant-plan les terres agricoles découpées en bandes perpendiculaires par rapport au fleuve.

ADRESSES UTILES

A **La boulangerie Niemand,** 82, avenue Morel. Dans une résidence victorienne de 1900, on fabrique du pain au levain façon européenne.
Tél. : 418-492-1236

H **L'auberge Manoir Taché,** 4, avenue Morel. Cette véritable auberge a été le principal lieu de tournage du téléroman *Cormoran*.
Tél. : 418-492-3768

M **Le musée de Kamouraska,** 69, avenue Morel. Arts et traditions populaires locaux.
Tél. : 418-492-3144

! **Le Centre d'Art et d'Histoire,** 111, avenue Morel. Logé dans l'ancien palais de justice.
Tél. : 418-492-9458

Le moulin Paradis, chemin du Moulin Paradis. L'un des lieux où le téléroman *Cormoran* a été filmé.
Tél. : 418-492-5365

S **La Société Duvetnor.** À partir de la base nautique de Rivière-du-Loup, la société organise des excursions dans des îles du Saint-Laurent, dont celles situées en face de Kamouraska et de Notre-Dame-du-Portage.
Tél. : 418-867-1660

La Maison aux volets bleus, construite à l'origine pour un marchand à la fin du XVIIIe siècle.

La villa Saint-Louis a été occupée de 1864 à 1891 par Adolphe-Basile Routhier, auteur des paroles de l'hymne Ô Canada.

L'emblème de Cormoran.

La boulangerie du village, qui loge dans une belle résidence victorienne, est juste à côté de l'église dans l'avenue Morel.

De nos jours, on pratique encore la pêche à l'anguille, mais les stocks ont diminué considérablement. Le poisson est expédié dans une petite localité près de Québec où il est préparé avant d'être exporté pour la majeure partie en Allemagne.

> Notre-Dame-du-Portage

De coquettes maisons de villégiature appuyées au talus

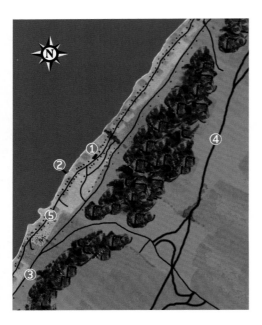

1. Église
2. Quai
3. Route 132
4. Route 20
5. Chemin de l'Anse

Aujourd'hui presque exclusivement un lieu de villégiature, le site de Notre-Dame-du-Portage fut autrefois un point stratégique ce qui, dans une large partie, explique que les Européens s'y soient établis définitivement dès les débuts.

Il suffit d'examiner une carte de la partie est du Canada pour comprendre les avantages de la position géographique de ce village. Avant même l'arrivée des Blancs, ces lieux étaient le point de départ et d'aboutissement d'une voie donnant accès aux régions maritimes de l'est du Canada, par la rivière Saint-Jean en passant par le portage du lac Témiscouata. Des peuplades amérindiennes la parcouraient.

Avec l'arrivée des Européens et le peuplement de la Nouvelle-France, ces lieux étaient au carrefour des anciennes routes de l'Acadie, sillonnées par les missionnaires, les coureurs des bois et les militaires. On voyageait tantôt en canotant, tantôt en portageant. Le sentier, très fréquenté, devint officiellement le chemin du Lac en 1783.

Surtout un lieu de passage, le territoire de Notre-Dame-du-Portage faisait partie des paroisses de Saint-Patrice-de-la-Rivière-du-Loup et de Saint-André. Ce n'est que tardivement, soit en 1856, qu'il s'en détacha pour former une paroisse autonome. À l'époque, plusieurs facteurs favorisèrent le développement du tourisme : l'amélioration des installations portuaires de Rivière-du-Loup en 1856 et l'arrivée du chemin de fer en 1860 contribuèrent presque simultanément à faciliter la circulation des voyageurs. Les visiteurs étaient par ailleurs attirés par une région riche en lacs et en ruisseaux à truite.

Contrairement à d'autres lieux de villégiature, Notre-Dame-du-Portage ne compte que peu de grandes résidences très riches. Si on remarque ici et là de belles villas et cottages, on voit un grand nombre de petites maisons de villégiature et de coquets chalets. Plusieurs habitations datent visiblement de la fin

du XIXᵉ siècle, mais la plupart sont des constructions du début du XXᵉ siècle. Les alignements, relativement serrés, jalonnent le côté nord du chemin de l'Anse, une petite route plaquée au bas d'un talus. À quelques exceptions près, l'étroitesse du terrain du côté sud a empêché la construction d'habitations.

Notre-Dame-du-Portage a su conserver un heureux équilibre entre le développement de ses activités touristiques et la qualité de son milieu bâti, du moins le long de l'ancienne artère, le chemin de l'Anse. Au centre du village, il y a l'église autour de laquelle sont disposés le presbytère, quelques commerces, une belle piscine à l'eau de mer et le quai qui a été réaménagé. La conservation, on le voit bien, ne se fait pas sans compromis. Le gros des aménagements fonctionnels s'est fait sur le haut du talus où passe la 132, ou le long du chemin qui relie le bord de l'eau à cette route. La magnifique vue panoramique qu'on a du surplomb fait que les constructions se multiplient de part et d'autre de la route 132. Mais heureusement, une végétation abondante et une forte dénivellation préservent encore l'intimité des habitants du chemin de l'Anse.

Le village s'enorgueillit d'une agréable piscine chauffée à l'eau salée. À proximité d'un quai aujourd'hui réservé aux piétons, elle surplombe le fleuve et offre une belle vue panoramique. À la sortie ouest du village, un petit parc aménagé permet aux visiteurs d'admirer les couchers de soleil de Notre-Dame-du-Portage, réputés pour être les plus magnifiques au Québec !

Notre-Dame-du-Portage, un mince filet de constructions de villégiature agglutinées sur la rive de l'estuaire.

Côte-du-Sud ▣ Notre-Dame-du-Portage

L'implantation de villégiature

On voit des constructions en bordure d'un chemin étroit qui longe le fond de l'anse du Portage. Il s'agit d'un alignement continu de maisons et de résidences de la fin du XIXe siècle et du début du XXe siècle ainsi que de belles maisons de villégiature des années 1950.

Le noyau villageois

Le cœur villageois est formé de l'église datant de 1859 et du presbytère construit à la même époque. Cet élégant bâtiment avec une composition harmonieuse en façade présente des ouvertures et des accessoires architecturaux disposés de façon symétrique. Une balustrade en fonte ceinture la galerie.

Anciens chalets de location.

L'église, érigée sur une coquette place, remonte à 1859.

Le presbytère.

Le côté est du quai.

Une résidence de villégiature.

De nombreux aménagements privés agrémentent les parterres.

Il arrive que le chalet de dimensions trop modestes soit augmenté d'une rallonge.

ADRESSE UTILE

 Auberge du Portage,
671, route du Fleuve.
Une construction de 1895
dans le goût victorien.
Tél. : 418-862-3601

Côte-du-Sud ▸ Notre-Dame-du-Portage

Saint-Fabien-sur-Mer
Métis-sur-Mer
Percé

Bas-Saint-Laurent et Gaspésie

De la Côte-du-Sud, une entité historique et géographique au caractère propre, la région administrative du Bas-Saint-Laurent emprunte la région littorale allant de Rivière-du-Loup à Sainte-Flavie. À cette région s'ajoute celle située à l'est, la Gaspésie.

La zone littorale du côté sud de l'estuaire forme une mince bande de terre dans le prolongement de celle qui origine à Montmagny. Cet étroit ruban dont la largeur varie de quelques kilomètres est traversé par la route 132, un axe vital dans les voies de communication terrestres. Dans cette région, les îles et les estrans marquent aussi le paysage littoral, alors que de nombreuses terrasses étagées jalonnent l'arrière-côte.

C'est à la fin du XVIIe siècle qu'a commencé à être peuplée la Côte-du-Sud. Continuant à progresser, le peuplement a atteint Kamouraska dans la première moitié du XVIIIe siècle, et Notre-Dame-du-Portage un peu plus tard. L'afflux de colons dans l'arrière-pays n'était pas terminé que déjà de nouveaux venus poussaient plus à l'est, atteignant Saint-Fabien en 1801. En 1829, le Bic ne comptait

© Yves Laframboise

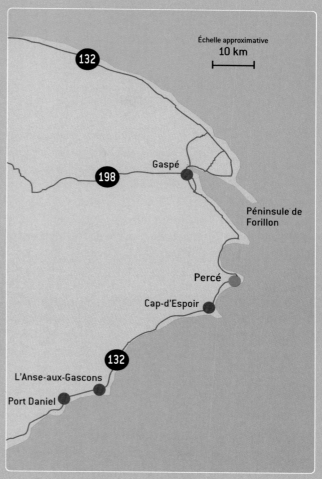

que 112 habitants ; à partir de 1818, des Écossais peuplèrent la région de Métis. Dès la seconde moitié du XIXᵉ siècle, le littoral présentait ce paysage caractéristique apparenté à un mince fil continu ponctué de villages et de hameaux.

Pourtant, ce ne sont pas les effets de la première période de colonisation qui ont donné à cette région les localités les plus intéressantes aujourd'hui. En effet, celles-ci sont beaucoup plus récentes : pris d'engouement pour la villégiature, des membres de la bourgeoisie anglo-saxonne, notamment celle de Montréal, conquis par la beauté remarquable des paysages maritimes de la région de Métis, s'y installent. Vers 1900, grâce à l'essor du transport ferroviaire, ce coin de pays se fait une réputation enviable auprès de gens à l'aise ; on construit dès hôtels, des villas, de grandes résidences et des maisons de chambre, dont plusieurs spécimens subsistent encore aujourd'hui. Dans ce décor naturel ressemblant à bien des égards à celui de la côte atlantique, l'architecture de Métis dénote un goût manifeste pour certains styles américains adaptés au bord de la mer. Encore aujourd'hui, le village de Métis-sur-Mer perpétue la tradition des lieux chic de villégiature. Il en va tout autrement pour Saint-Fabien-sur-Mer : ses chalets proprets à l'architecture discrète sont l'œuvre de gens modestes qui ont commencé à se construire des résidences d'été à partir de 1918. Mais à cause du cadre naturel et de l'implantation générale, l'aspect spectaculaire de cet ensemble vaut le détour.

Et qu'en est-il de la vaste presqu'île de la Gaspésie, limitée à sa base par la vallée de la Matapédia et à son sommet par le golfe du Saint-Laurent ? L'apparition des premiers Européens au XVIᵉ siècle, la création d'établissements permanents à la fin du XVIIᵉ siècle, l'arrivée d'Acadiens vers 1755, celle de loyalistes à la fin du XVIIIe siècle puis d'Anglais originaires des îles anglo-normandes n'auront abouti qu'à un peuplement clairsemé, concentré surtout sur les côtes. Une architecture généralement empreinte de sobriété témoigne des conditions de vie modestes de la population gaspésienne.

Les paysages y sont par ailleurs remarquables. La côte nord présente peu d'indentations, sauf pour quelques creux à l'embouchure de cours d'eau qui remplacent les golfes et les baies. Au contraire, les côtes sud et est sont très accidentées et entre Restigouche et la presqu'île de Forillon, les pointes et les baies se succèdent sans interruption. En quittant la baie des Chaleurs vers le nord, au fur et à mesure qu'on approche de Percé, le rivage se présente sous la forme d'une falaise continue de laquelle émergent les masses lourdes des caps. Ce trajet entre la baie des Chaleurs et Forillon offre une suite de panoramas impressionnants où l'œil cherche en vain des limites.

Pour qui fait ce voyage, le point culminant est sans contredit Percé, dont le décor naturel n'a de cesse d'étonner les visiteurs depuis des siècles. Dès 1686, Percé comptait 24 âmes. Parmi les très nombreux touristes venus admirer l'immense monolithe de pierre, le poète surréaliste André Breton nous a laissé une description inoubliable écrite en 1944 lors de son séjour en Amérique du Nord. Autrefois un village, Percé a été fusionné récemment à d'autres entités administratives, et ce faisant a accédé au statut de ville.

À Métis-sur-Mer, l'anse du Petit-Métis.

Saint-Fabien-sur-Mer

Un filet de villégiature entre mer et montagne

C'est dans la région de Saint-Fabien et du Bic qu'on trouvera des paysages parmi les plus remarquables du Québec. Dès 1603, Champlain avait d'ailleurs été frappé par la présence d'un pic particulièrement élevé à cet endroit, appelé à juste titre la montagne du Pic Champlain, haut de 346 mètres. Ce sommet domine Saint-Fabien-sur-Mer.

Dans cette région, la route 132 longe le fleuve à une distance d'environ un kilomètre et demi. Le paysage est étrange, non pas à cause d'une vue inhabituelle sur le fleuve, mais précisément parce qu'elle est inexistante. En effet, des murailles, sorte de crêtes rocheuses allongées et doucement arrondies, bouchent la vue du côté nord. Entre la route, légèrement surélevée, et ces crêtes rocheuses, de grandes cuvettes s'allongent doucement, parcourues par de minces filets d'eau. Souffrant d'une irrigation déficiente, le sol, occupé par les terres cultivées, fait place ici et là à des tourbières exploitées depuis les années 1950. Qu'y a-t-il de l'autre côté de ces crêtes rocheuses ? Encore une fois, le relief empêche de voir et pourtant, on soupçonne bien la présence du fleuve, mais où ?

On doit céder à la curiosité et emprunter, à la hauteur de Saint-Fabien, le chemin de la Mer. Cette petite route d'apparence anodine, qui traverse une zone de tourbières, profite d'une faille dans les crêtes et mène à la zone littorale. Avant d'accéder à Saint-Fabien-sur-Mer, on remarque à droite l'entrée du belvédère Raoul-Roy d'où on a une vue imprenable sur cet endroit de villégiature exceptionnel et sur les étonnantes îles du Bic.

Saint-Fabien-sur-Mer est formé d'un mince cordon d'habitations le long d'une grande zone littorale ponctuée de pointes, de baies, d'anses et

1. Chapelle Notre-Dame-des-Murailles
2. Belvédère Raoul-Roy
3. Îlet au Flacon
4. Anse aux Capelans
5. Parc du Bic
6. Aire de stationnement
7. Tourbières
8. Chemin de la Mer Est
9. Chemin de la Mer Ouest

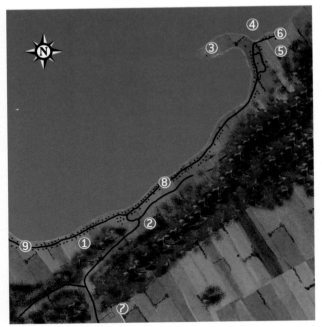

de presqu'îles. Contrairement à Saint-Fabien, dont le premier peuplement remonte au milieu du XVIIIe siècle, Saint-Fabien-sur-Mer, mises à part les incursions de premiers pionniers, se développe dans les premières décennies du XXe siècle. Certes, quelques familles s'y sont bien installées vers 1821, mais le premier estivant connu est arrivé en 1908. Les premières villas apparaissent dans les années suivantes et la plage connaît un premier afflux de visiteurs à partir de 1918. En 1923, on ne compte que 23 chalets dans ce décor incomparable !

Une grande anse et une plus petite, séparées l'une de l'autre par une presqu'île, donnent à Saint-Fabien-sur-Mer l'apparence d'un grand hameçon. L'anse à Mercier, la plus grande, comporte la majeure partie des chalets de villégiature, et les plus anciens, répartis de part et d'autre du chemin de la Mer. À l'extrémité est, l'îlet au Flacon cache l'anse aux Capelans, menue et discrète, d'où on peut contempler les îles du Bic et les parois abruptes des murailles. Quelques mètres plus loin, les randonneurs ont accès aux sentiers de l'exceptionnel parc du Bic.

Saint-Fabien-sur-Mer compte aujourd'hui plus de 200 chalets de villégiature. D'une architecture sobre, généralement de bon goût, ces constructions ne se distinguent ni par l'âge, ni par l'ornementation, ni par les dimensions. Contrairement à beaucoup d'autres sites de villégiature qui se flattent d'avoir de grandes demeures aux styles savants importés, Saint-Fabien se contente de petites résidences, dont certaines font même penser à des miniatures. Toutes propres et bien proportionnées, elles font la fierté de leurs propriétaires. D'ailleurs, la taille n'a pas empêché ceux-ci de viser haut, en s'inspirant de styles recherchés. On constate avec amusement qu'ils n'ont pas hésité à emprunter des éléments architecturaux d'ordinaire propres aux grandes demeures et qu'ils ont su les adapter. C'est là le côté à la fois original et sympathique de l'architecture de Saint-Fabien-sur-Mer.

Le folkloriste Raoul Roy a aidé à faire connaître Saint-Fabien-sur-Mer. Faisant œuvre de pionnier dans le domaine de la chanson, il a fondé, en 1960, la boîte à chansons Le Pirate, dont le renom a attiré beaucoup de visiteurs. Aujourd'hui, le belvédère porte son nom.

L'îlet au Flacon termine à l'est l'extrémité du grand hameçon que forme Saint-Fabien-sur-Mer.

Le site

Le site en lui-même vaut le détour. En longeant le bord de l'eau, on peut admirer des panoramas magnifiques. Du haut de l'observatoire Raoul-Roy, on a une vue à couper le souffle sur le village et sur les îles du Bic au loin!

L'anse aux Capelans

L'anse aux Capelans forme un endroit minuscule à l'abri d'une presqu'île, aux pieds de la muraille. En plus d'y apercevoir les îles du Bic, on peut contempler de cette petite anse un paysage aux charmes incomparables.

Du belvédère Raoul-Roy s'ouvre un panorama grandiose sur Saint-Fabien-sur-Mer et les îles du Bic.

Saint-Fabien-sur-Mer et ses constructions de bon goût à l'architecture sans prétention.

Des maisons de villégiature accrochées aux rochers.

Alibi Tours, Marina du Bic. Pour faire une sortie en mer et visiter les îles du Bic. Tél.: 418-736-5232

Le parc du Bic, par l'anse aux Capelans, on a un accès aux sentiers. Tél.: 418-869-3502

L'anse à Mercier (la grande anse) et l'îlet au Flacon.

L'anse aux Capelans, un petit havre de paix dans un décor grandiose.

Au loin vers l'est, on aperçoit les îles du Bic et le parc du même nom, auquel on a accès notamment par un sentier piétonnier originant à Saint-Fabien-sur-Mer.

Dans un tel décor, pourquoi se surprendre de la présence de maisons-forteresses?

Bas-Saint-Laurent et Gaspésie ▷ Saint-Fabien-sur-Mer

> # Métis-sur-Mer

Niché dans les rochers, un sanctuaire de villégiature sélect

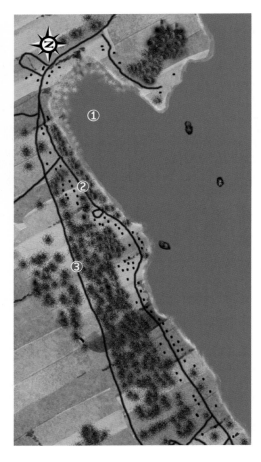

1. Anse du Petit-Mitis
2. Chemin de la Mer
3. Route 132

Qui n'a pas rêvé de trouver dans la vallée du Saint-Laurent un petit bord de mer ressemblant à ceux de la Nouvelle-Angleterre avec des plages, des anses, des étendues de sable couvertes d'herbes marines, des rochers bruts et des résidences se dressant ici et là dans un décor resté intact ? Métis-sur-Mer évoque ces endroits courus mais, attention, n'entre pas qui veut dans ce sanctuaire estival !

La géographie des lieux est presque indissociable de l'identité de Métis-sur-Mer. Dans certains établissements de villégiature, les maisons sont implantées uniquement du côté opposé de la voie qui parcourt le rivage. Dans d'autres, deux alignements étroits et continus bordent la voie principale. Rien de tel à Métis-sur-Mer. À quelle règle obéissent les constructions et leur emplacement ? Il serait bien difficile de le dire. Les alignements ne sont pas continus. Une grande résidence s'insère entre un petit groupement de cottages estivaux, et inexplicablement la nature reprend ses droits. Le bord de mer présente un paysage varié : on voit ici une mince bande de terre qui nous sépare du rivage, là des rochers sauvages. Un peu plus loin, des zones boisées cachent le fleuve et seule une entrée somptueuse trahit la présence d'une grande villa camouflée dans la végétation. Le bord de mer est dominé par deux grandes anses. Sur l'extrémité d'une grande pointe bordant la seconde anse, une structure familière, le phare, domine un petit archipel où se prélassent des troupeaux de phoques.

Comment Métis-sur-Mer, presque désert pendant l'hiver, dont la population fait plus que décupler l'été, en est-il venu à se transformer en un repaire pour gens sélect ? Il n'est pas nécessaire de remonter bien loin dans le passé pour retracer cette histoire. Même si la seigneurie de Métis-sur-Mer a été

concédée en 1675, l'occupation des lieux remonte à une époque beaucoup plus tardive, soit au début du XIXᵉ siècle, alors qu'un Écossais, John MacNider, achète la seigneurie en 1807. Quelques années plus tard, il encourage un grand nombre de ses compatriotes à s'installer sur les lieux. En 1850, la partie est de la seigneurie passe aux mains de David Ferguson, de Montréal, puis à son fils John en 1870. À l'époque, Petit-Métis abritait une population variée, ce qui explique aujourd'hui la présence de nombreux édifices de culte. Le recensement de 1871 révèle la présence de fidèles de différentes confessions : catholique, méthodiste, presbytérienne et protestante. La composition ethnique montre une écrasante majorité d'Écossais que les trois minorités réunies, anglaise, française et irlandaise, n'arrivent même pas à concurrencer.

John Ferguson applique toute son énergie à donner une vocation de station balnéaire à Métis-sur-Mer. Il favorise la construction d'hôtels, de résidences et, à l'occasion, encourage même ses concitoyens à louer leurs maisons. Dans les années 1860, l'Université McGill fournit le premier noyau d'estivants, dont le plus célèbre était le recteur Sir William Dawson, un géologue renommé et admirateur du cadre naturel de Métis-sur-Mer. À la colonie de vacanciers s'ajoutent des notables, nommément ceux de familles montréalaises connues, dont les Redpath.

Métis-sur-Mer, un chapelet de résidences et de maisons disséminées le long d'une côte accidentée, remarquable pour ses plages, ses anses et ses rochers aux formes variées.

Bas-Saint-Laurent et Gaspésie ▷ Métis-sur-Mer

Le phare de Métis, une structure familière dans cette localité maritime, occupe une pointe rocheuse fréquentée par les phoques gris et les phoques communs.

Dans un relief accidenté, d'étroits sentiers sinueux et à peine balisés donnent accès au bord de mer.

On gagnait Métis-sur-Mer surtout par bateau, mais l'arrivée du train dans la région en 1876 rendit l'endroit plus accessible aux estivants. Une gare fut aménagée au tournant du XXe siècle. Le village comptait une grande variété d'établissements : des hôtels, des clubs, des villas, des grandes résidences, des cottages et de charmantes maisons à louer. Certes, tout le monde pouvait séjourner à cet endroit, mais l'appartenance sociale dictait les égards avec lesquels on était traité. Ainsi, une première distinction s'opérait entre les propriétaires et les visiteurs qui logeaient à l'hôtel. Pour les clients de ces derniers établissements, on appliquait diverses distinctions d'ordre social, selon lesquelles les Canadiens français arrivaient en fin de liste.

Le prestige de Métis-sur-Mer attira dans la région le gratin de la société et des membres de l'aristocratie anglophone montréalaise. En 1887, le président du Canadien Pacifique, George Stephen, fit construire un camp de pêche à l'embouchure de la rivière Mitis, à quelques kilomètres de Métis-sur-Mer. À la fin des années 1920, sa nièce et héritière, Elsie Reford, agrandit la résidence et fit aménager un jardin magnifique, aujourd'hui ouvert au public. Il s'agit des Jardins de Métis.

Dans la période de l'entre-deux-guerres, chaque été, les vacanciers affluaient de Montréal, de Toronto et des États-Unis. La population passait alors facilement de 300 à 3000 personnes. On inaugura même une liaison ferroviaire hebdomadaire entre Métis-sur-Mer et Montréal. Curieusement, la popularité de Métis-sur-Mer déclina sensiblement au cours des années 1950 et 1960. Le Saint Lawrence Special et la plupart des grands hôtels, autrefois représentatifs de la place, brûlèrent ou furent démolis. De nos jours, avec le développement touristique du Bas-Saint-Laurent, cet endroit connaît un regain de popularité, mais comme il est encore prisonnier de sa réputation, il reste difficilement accessible au visiteur de passage.

Le village

Il n'est pas facile de visiter Métis-sur-Mer à pied : il n'y a ni stationnement public ni aire de repos. On doit se garer à l'extrémité ouest et marcher dans la rue principale.

Les chapelles

Mentionnons deux chapelles sur le territoire de Métis-sur-Mer : l'église unie, un bâtiment d'allure très simple, construit vers 1866, et l'église presbytérienne Little Metis datant de 1883. Cette dernière a été érigée à la demande des habitants qui trouvaient celle de Grand Métis trop éloignée ; elle présente un campanile, construit à part en 1922.

L'église unie de Métis-sur-Mer.

L'église presbytérienne, située à l'extrémité ouest du village et son clocher, une structure indépendante.

Bas-Saint-Laurent et Gaspésie

Le Batelier, Les Boules. Croisières d'observation de phoques et d'oiseaux migrateurs au large du phare de Métis-sur-Mer. Tél.: 418-936-3264

En plus d'être un refuge pour les troupeaux de phoques, les rochers abritent des colonies de cormorans.

À certains endroits, des maisons de villégiature en retrait de la route riveraine occupent des sites surplombant le bord de mer.

Les grandes résidences sont dissimulées dans la végétation.

Type d'implantation particulier à Métis-sur-Mer: quelques maisons de villégiature disposées des deux côtés d'une voie commune aboutissant à la route principale.

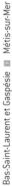

Bas-Saint-Laurent et Gaspésie ▷ Métis-sur-Mer

Percé*

Le plus majestueux des amphithéâtres !

Presqu'île massive entre le golfe du Saint-Laurent et la baie des Chaleurs, la Gaspésie forme un grand plateau qui joint presque partout la mer par des falaises abruptes. Peu découpée, la côte n'est rompue que par quelques baies et embouchures de cours d'eau.

Recouverte d'une vaste forêt, la péninsule gaspésienne a traditionnellement offert à l'homme sa périphérie accueillante. Des pêcheurs français se sont implantés dès la fin du XVIIᵉ siècle dans la région de Percé, puis des Acadiens le long de la baie des Chaleurs, par la suite des loyalistes de la Nouvelle-Angleterre, des pêcheurs originaires des îles Jersey, au large du golfe de Saint-Malo, ainsi que des colons provenant de la rive sud du Bas-du-Fleuve.
La pêche a été la première activité, mais les habitants ont développé de génération en génération une agriculture de subsistance. À partir de la fin du XIXᵉ siècle, la coupe du bois, le sciage dans les moulins et les pulperies ont complété l'économie locale.

1. Côte Surprise
2. Cap Blanc
3. Île Bonaventure
4. Anse du Sud
5. Rocher Percé
6. Cap Canon
7. Mont-Joli
8. Anse du Nord
9. Cap Barré
10. Les Trois Sœurs
11. Pic de l'Aurore

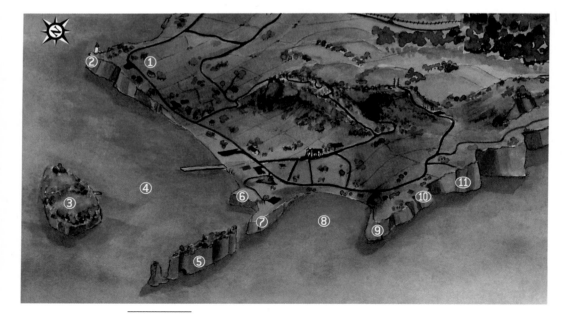

* AN

Au cours des siècles, Percé (AN) a acquis son renom grâce à l'originalité de ses attraits naturels et à ses contrastes étonnants nés de la rencontre de la mer avec les montagnes. Au Québec, peu de sites sont aussi spectaculaires. Percé a les allures d'une scène incroyablement immense. Il évoque un vaste amphithéâtre où les points de vue – que l'on soit dans l'arène ou dans les gradins – rivalisent en beauté. De part et d'autre de Percé, les caps Barré et Blanc offrent de beaux points de vue sur les anses et sur le mont Sainte-Anne, ainsi que sur le pic de l'Aurore. Du mont Joli, le regard embrasse sur 360 degrés un extraordinaire paysage dominé autant par le rocher que par le village, les caps extrêmes et le mont Sainte-Anne. De l'église, on a des vues plus restreintes sur les charmes du noyau villageois.

Face à la mer, Percé évoque un vaste amphithéâtre dont l'énorme rocher est l'attraction principale.

Pour avoir une vue à vol d'oiseau de Percé, il suffit de s'engager sur une route de terre aux deux premières étapes du mont Sainte-Anne. Elles offrent sur la cuvette de Percé un panorama grandiose.

Les Micmacs, qui furent les premiers à occuper Percé, faisaient du troc avec les Européens sur la côte Est. Ces derniers, des Français, arrivèrent vers 1670 pour pratiquer la pêche. L'amiral William Phips détruisit leurs installations en 1690. Revenus au XVIIIe siècle, les Français furent rejoints par des Acadiens et, à la fin du siècle, par des loyalistes américains. Une vague d'immigrants venant des îles anglo-normandes de Jersey et de Guernesey, commencée à la fin du XVIIIe siècle et tarie au début du XIXe siècle, grossit le peuplement. De grands commerçants de la pêche comme les Robin, les Le Bouthillier et les Fauvel fondèrent des compagnies pour exploiter la pêche au homard, au saumon et à la morue. Installée à Percé en 1781, la compagnie Robin domina cette industrie pendant tout le XXe siècle et réussit à garder son emprise sur les pêcheurs en les exploitant grâce à un habile système d'avances et d'échanges de produits. Même si la pêche s'est continuée au XXe siècle, elle a été supplantée par le tourisme, qui a pris aujourd'hui une ampleur considérable.

Le rocher

Même s'il a l'apparence d'un bloc erratique, le rocher Percé s'insère dans la séquence géologique des roches dites de la formation de cap Bon Ami. À ce titre, il s'apparente aux roches presque verticales du cap Barré, des Trois Sœurs et du pic de l'Aurore dont il fut séparé par l'érosion de la mer. Sa dimension est exceptionnelle. Le poète surréaliste André Breton nous a laissé dans *Arcane 17* de très belles pages sur le rocher. Ayant eu des démêlés avec le gouvernement de Vichy, Breton quitta la France. Il se rendit d'abord en Martinique, puis à New York où il travailla à titre de commentateur radiophonique aux émissions de «La Voix de l'Amérique». Au cours d'un voyage au Québec, il découvrit un matin du mois d'août 1944 le rocher Percé. Cette vision magique le plongea dans une grande extase :

«... Il se présente en deux parties qui, d'où j'ai coutume de les observer, semblent mener une existence distincte, la première éveillant d'abord l'idée d'un vaisseau à laquelle vient se superposer celle d'un instrument de musique de type ancien, la seconde celle d'une tête à profil un peu perdu, tête d'un port altier, à lourde perruque Louis XIV. La proue du navire fonçant au nord vers la plage, une large brèche s'offre à sa base, au niveau du mât arrière. S'élevant au-dessus de la mer d'une soixantaine de pieds, cette brèche pouvait, il y a peu d'années, avant que les éboulements y fissent obstacle, servir de passage aux voiliers. Toujours est-il qu'elle demeure essentielle à l'appréciation sensible, qu'en elle réside la qualité véritablement unique du monument. Quelle que soit son exiguïté relative en présence de l'étendue de la coque qu'elle mine, elle commande en effet l'idée que le navire supposé est aussi une arche et il est admirable que les courants qui se brisent tout le long de la paroi trouvent en elle une issue pour s'y engouffrer, d'autant plus frénétiques. Cette brèche est sans doute à elle seule ce qui impose la ressemblance seconde avec une sorte d'orgue lointain, plutôt aussi cet instrument qu'un autre depuis le jour où, cherchant à identifier le visage et l'attitude de la tête de pierre tournée vers lui, tu as songé que ce pourrait être là Haendel pour te reprendre très vite : Haendel ? mais non, bien sûr : Bach.»

André Breton, *Arcane 17*, août 1944

Le chafaud

Le chafaud est un ancien bâtiment autrefois destiné au traitement du poisson. Situé à proximité de la plage, il facilitait le transport direct des barques de pêcheurs à la terre ferme. Aujourd'hui ouvert aux visiteurs, il a été converti en centre d'exposition. En visitant l'intérieur, on remarquera entre autres l'immense charpente en bois digne des grands assemblages gothiques.

Le mont Sainte-Anne

L'évêché de Rimouski acquit le mont Sainte-Anne en 1884 et le transforma en lieu de pèlerinage, que les fidèles fréquentèrent jusqu'en 1925. Deux monuments y furent érigés, en 1886 et en 1933. On peut accéder au mont Sainte-Anne par un sentier. Des belvédères procurent des vues saisissantes sur Percé.

Le mont Joli

Une croix à l'origine incertaine, peut-être mise en place par les Récollets, surmonte le mont Joli. La croix actuelle plantée en 1945 a remplacé plusieurs autres croix érigées à différentes époques.

La pointe du Cap Canon

Cette bande de terre aurait renfermé autrefois un canon dont l'origine remonterait au naufrage de Walker en 1711 ou à l'installation d'une batterie côtière par Frontenac avant l'expédition de Phips.

Le parc Logan

Du nom de Sir William Logan, fondateur de la géologie canadienne, ce site renferme un monolithe et une plaque commémorative dont le dévoilement eut lieu en 1913 à l'occasion d'un congrès international de géologie.

Le noyau villageois

Avec ses bâtiments regroupés autour de l'église, il comporte quelques jolies rues et de belles maisons villageoises.

Vue d'ensemble de Percé et de son rivage : une anse d'une rare beauté, qui ne cesse de susciter l'admiration depuis des siècles.

La pêche au homard se pratique en début d'été.

L'île Bonaventure

Du sommet des Trois Sœurs, le regard se pose sur des falaises géantes avec au loin la baie de Gaspé.

Le rocher au gré des saisons.

« ... La population de Saint-Michel s'élève à 2720 habitants dont 1531 sont d'origine canadienne-française. Dans la saison des affaires et de la pêche, Percé devient le point de réunion des marchands et des pêcheurs canadiens et européens. On ne travaille pas aux champs; la pêche est l'unique occupation, et durant les jours où elle fait défaut – ce qui arrive près de la moitié du temps, dit le missionnaire de l'endroit –, les gens sont dans l'oisiveté et le désœuvrement. »

Stanislas Drapeau, 1863

La rue de l'Église, vestige encore bien conservé du noyau villageois ancien massé au pied de l'église Saint-Michel.

Le chafaud, un ancien bâtiment de pêche qui servait à la transformation du poisson, a été reconverti en un centre d'exposition.

La « table à Roland », une masse rocheuse impressionnante à l'arrière-scène de Percé.

L'ancien magasin général Robin, un bâtiment commercial avec son entrepôt latéral, comme il en existait dans presque tous les villages de la côte gaspésienne.

ADRESSES UTILES

 Le centre d'interprétation, 343, rang de l'Irlande.
Tél.: 418-782-2721

Parc de l'Île-Bonaventure-et-du-Rocher-Percé, 4, rue du Quai.
Tél.: 418-782-2240

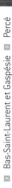

Saguenay et Côte-Nord

L'Anse-Saint-Jean
Tadoussac
Harrington Harbour

Les particularités du massif laurentien surprennent le voyageur attentif aussitôt qu'il a dépassé le village de Saint-Joachim, près de Québec. Que dire alors des impressions qu'il aura une fois arrivé au seuil du fjord du Saguenay? Après avoir traversé la région de Charlevoix et s'être habitué aux panoramas époustouflants, aux vues plongeantes sur des dépressions où se nichent de petites agglomérations, il arrivera dans le pays du Saguenay. Il s'interrogera sur les limites que la nature semble s'imposer à elle-même et s'il poursuit son voyage sur la Côte-Nord, cette impression se confirmera dans son esprit.

La région du fjord du Saguenay est en réalité une étroite vallée de roches dures typiques du Bouclier canadien. À proximité, des rivières imposantes surgissent dans de profondes entailles glaciaires aux parois escarpées; ce sont des vallées où elles coulent et viennent mourir en formant des deltas. Au milieu du XIXe siècle, des colons, venus surtout des paroisses de Charlevoix, créèrent des établissements dans la région à l'époque où quelques entrepreneurs d'exploitations forestières avaient le monopole du bois. Ces premiers habitants, venus s'implanter en bordure du fjord, n'avaient pour toute

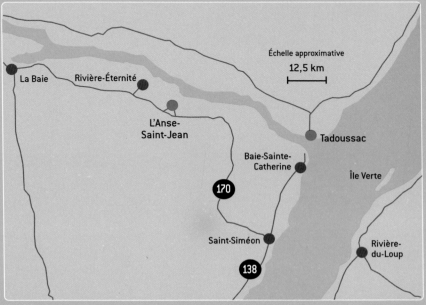

© Yves Laframboise

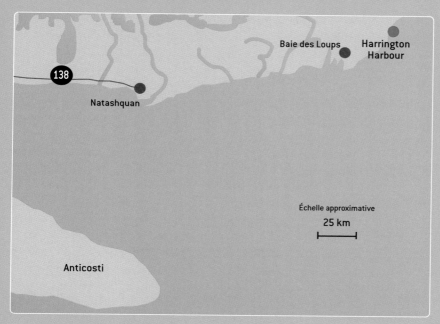

ressource que de faibles moyens, mais ils étaient animés d'une volonté acharnée de conquérir ce pays rude. Choisissant les petites vallées plus hospitalières, ils s'installèrent près des rivières, d'abord à L'Anse-Saint-Jean en 1838. Ce vieil établissement – du moins pour la région – rappelle les débuts des premiers arrivants de modeste condition : l'architecture sobre et d'anciennes maisons de colons dont les revêtements ont dû être remplacés souvent au fil des années en témoigne.

Dans la même région, mais cette fois-ci à l'embouchure du Saguenay, dans un site impressionnant, les habitants du village de Tadoussac ont une vue imprenable sur ce spectacle de la rencontre grandiose de deux géants, le fjord et l'estuaire. Cet ancien poste de traite est devenu une destination touristique très fréquentée. Sa popularité est attribuable à l'attrait irrésistible qu'exercent sur les visiteurs les nombreux bélugas et baleines qui recherchent la froideur de ses eaux et l'abondance de nourriture. Autrefois, Tadoussac était un village beaucoup plus cossu qu'aujourd'hui : une plus grande unité dans l'architecture,

Saguenay et Côte-Nord

un meilleur état de conservation des bâtiments de villégiature et un moins grand nombre de constructions contemporaines inappropriées faisaient de cette localité un lieu chic et de belle allure. Encore aujourd'hui, on peut admirer certains de ces éléments mais on doit s'y prendre à deux fois pour les retrouver dans le paysage urbain de plus en plus moderne. Tadoussac reste malgré tout un village exceptionnel à cause de son site unique et du caractère grandiose du milieu naturel.

En poursuivant vers l'est, le visiteur désireux de découvrir un autre pays sera agréablement servi. Une vaste contrée s'ouvre au-delà de Tadoussac, dont les attraits naturels et les habitants, là encore, surprendront. Cet immense pays, constitué d'étendues solitaires du Labrador jusqu'au détroit d'Hudson, correspond au rebord sud-est du Bouclier canadien. Seul le littoral, habité en permanence, présente une côte où les localités sont dispersées.

La région de la Basse-Côte-Nord est une côte rocheuse enclavée entre le golfe et le plateau du Petit Mécatina. Elle s'étend entre Natashquan, là où la route terrestre s'arrête, et le Labrador. Cette côte aux multiples échancrures présente un chapelet d'îles et d'îlots rocheux disséminés en bordure. Le voyageur apercevra un paysage déroutant de toundra maritime, ponctué de nombreuses crêtes rocheuses usées par les glaces, parsemé d'une végétation rabougrie, de mousses et de lichens, et il découvrira toute une faune d'oiseaux et de mammifères marins. Dans ce pays fascinant, au milieu d'un archipel rocheux, l'île de Harrington est le type même de l'authentique village de pêcheurs. Même si les représentants de la gent animale sont très nombreux dans la région, les visiteurs y sont quand même bienvenus. À l'heure actuelle, le village travaille à un projet de développement axé sur le tourisme d'aventure, et le «trekking». Harrington Harbour et sa région séduiront les plus intrépides, ceux que seule la grande nature sauvage inspire.

› L'Anse-Saint-Jean

Dans l'armure d'un colosse, une mince faille habitée

Comment parler d'un village le long du Saguenay sans évoquer ce cadre grandiose qui ramène les établissements humains à une si petite échelle ? Cette rivière est le phénomène naturel le plus impressionnant de la vallée du Saint-Laurent. Du lac Saint-Jean, des cataractes, des cascades et des rapides forment un départ tumultueux. Depuis des temps immémoriaux, d'incroyables quantités d'eau dévalent cette profonde vallée glaciaire, le fjord. Bordé de prodigieuses falaises plongeant presque à angle droit dans les profondeurs marines, encaissé entre les montagnes, le fjord ne s'ouvre qu'à quelques endroits, là où des rivières ont réussi à s'infiltrer dans d'étroites vallées. L'une d'elles, la rivière Saint-Jean, abrite les fragments d'un petit établissement humain, le village de L'Anse-Saint-Jean.

Contrairement à la plupart des agglomérations de la vallée du Saint-Laurent dont la majeure partie des bâtiments se resserrent le long d'un axe linéaire, ce village s'éparpille suivant les particularités d'un relief varié. Une petite route sinueuse se glisse dans la partie étroite de la vallée de la rivière Saint-Jean et sert de trait d'union à quelques poignées de maisons dispersées

1. Église
2. Pont couvert
3. Rivière Saint-Jean
4. Saguenay
5. Rue Saint-Jean-
   Baptiste

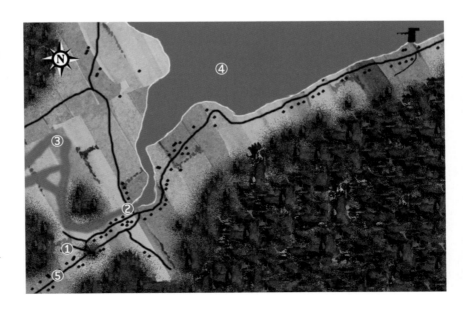

le long de la route. Émergeant d'une partie plus large, la route passe dans un groupement de constructions plus important, dominé par la place de l'église et par un pont couvert reliant les deux rives de la rivière Saint-Jean, puis elle aboutit à un embranchement. D'un côté, elle rejoint la partie ouest de l'anse, là où le chemin Saint-Thomas longe les ondulations des basses terres agricoles. De l'autre, elle se faufile sur une bande riveraine, à l'endroit où le quai fut aménagé en 1875.

Le premier peuplement de L'Anse-Saint-Jean remonte aux temps héroïques des missions : en 1668, le père Louis Beaulieu, venu hiverner avec des Amérindiens, fait construire une chapelle. Il n'y a aucune suite à cette tentative et il faut attendre 1838 pour qu'une société de colonisation, la Société des Vingt-et-Un, y dépêche ses premiers colons. Au XIXe siècle, on pratique la coupe du bois et le sciage de madriers. À ces activités s'ajoutent l'agriculture, la production de sirop d'érable et la pêche au saumon grâce auxquelles les habitants parviennent à subsister. En 1852, le hameau compte une vingtaine de maisons en bois rond. En 1859, la municipalité de L'Anse-Saint-Jean est créée : ses habitants viennent de Baie-Saint-Paul, des Éboulements et de La Malbaie. Les communications avec l'extérieur sont difficiles et jusqu'au début du XXe siècle, on préfère de beaucoup se rendre à La Malbaie par le Saguenay plutôt que de prendre le chemin des terres, praticable l'hiver. Construite entre 1875 et 1878, une jetée permet aux bateaux à vapeur d'accoster. Dans la première moitié du XXe siècle, l'activité économique se résume à l'exploitation forestière et à la construction de goélettes, mais l'épuisement des ressources et l'évolution de la conjoncture amènent le village, dans les années 1980, à se tourner vers une nouvelle industrie, celle du tourisme. Jouissant d'un cadre naturel magnifique, la municipalité offre diverses activités aux visiteurs, notamment la randonnée pédestre, l'équitation et des excursions commentées sur le fjord.

Sur la rive ouest, le rebord inférieur plus large est occupé par des terres cultivées.

Saguenay et Côte-Nord ▸ L'Anse-Saint-Jean

L'anse

On peut observer le site de l'anse et le fjord à partir de deux belvédères auxquels on a accès par le chemin Thomas.

Le quai

De nos jours, le quai est devenu un lieu fréquenté par les pêcheurs et par les touristes désireux de faire des excursions sur le fjord.

Le pont

Le pont couvert, construit en 1930 pour faciliter les déplacements entre les habitants des deux rives, est situé à un bel endroit au milieu du village. Sa réputation fut consacrée lorsque la Banque du Canada s'en inspira pour illustrer les billets de 1000 $ en 1954.

Maisons de faubourg
à l'extrémité est du
village.

La pointe est de la baie.

Dans l'étroite vallée
formée par la rivière
Saint-Jean, la plus
grande partie du noyau
villageois s'agglutine
dans le dernier méandre
de la rivière, juste
avant son entrée
dans le fjord.

Le village et son
célèbre pont
couvert dont
l'image est
apparue en
1954 sur les
billets de 1000 $
de la Banque du
Canada.

Saguenay et Côte-Nord ▶ L'Anse-Saint-Jean

*La rue Saint-Jean-Baptiste longe le cours de la rivière.
Des groupements de maisons villageoises la bordent par endroits.*

*Du quai, les visiteurs peuvent faire des excursions sur le fjord
et découvrir des paysages sensationnels.*

*Le séchage des bulbes au grand air: une pratique
traditionnelle qui se perpétue.*

*Depuis toujours, le côté ouest de la baie fut un endroit propice
à l'agriculture, comme en témoigne cet ancien bâtiment agricole.*

> Tadoussac

La rencontre des géants

Niché sur un plateau de roches granitiques, dans un site remarquable au confluent de la partie estuaire du fleuve Saint-Laurent et du fjord du Saguenay, le village de Tadoussac occupe une portion riveraine du Bouclier laurentien, au tout début de la région de la Haute-Côte-Nord. Très ancienne, l'occupation humaine y a même précédé celle de Québec. En effet, des Amérindiens descendus du nord par le Saguenay et d'autres par le Saint-Laurent y firent pendant longtemps du commerce et du troc. Les premiers Européens à fréquenter ces lieux furent des Basques, des Bretons et des Normands. Venus pour pêcher, ils y trouvèrent aussi un refuge temporaire. Ce qui est plus surprenant, c'est qu'ils faisaient l'extraction de l'huile de baleine et de marsouin. Cependant, c'est à Jacques Cartier que revient l'honneur de la première visite officielle effectuée le 1er septembre 1535 avec les équipages de trois navires. Même si par la suite des Européens visitèrent brièvement ce lieu, il ne fut occupé de façon permanente qu'après l'arrivée de Pierre Chauvin. En 1600, ce Français obtint de Henri IV le privilège exclusif d'y faire la traite des fourrures à la condition de favoriser l'implantation de colons à Tadoussac. Ce commerce marqua l'histoire du village à un point tel qu'il devint le plus important comptoir de traite de toute la colonie. En 1831, il passera aux mains de la Compagnie de la Baie d'Hudson jusqu'à ce que celle-ci cesse ses activités en 1859.

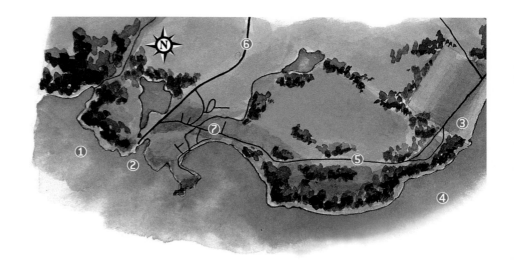

Le village commença à se former en 1838 lorsque William Price, un entrepreneur de souche anglaise, établit un moulin à vapeur à l'Anse-à-l'Eau, soit tout près de l'actuel quai de la traverse. Mais la présence de l'entreprise fut de courte durée, car la scierie fut déménagée en 1849. Cette première activité économique fut rapidement supplantée par le tourisme. Les premiers visiteurs arrivèrent dès 1853 : la pêche sportive, les températures clémentes de l'été et la beauté du site attiraient les étrangers. Un vaste hôtel ouvrit ses portes en 1864 ; d'autres bâtiments d'hébergement, plus modestes, apparurent le long de la rue principale.

Aujourd'hui, on voit de magnifiques villas et d'élégants cottages juchés sur les terrasses entourant la baie. Cet essor se poursuit encore et fait de Tadoussac, avec ses lieux d'hébergement, son golf, sa pisciculture et sa marina, un centre estival au décor unique. Contempler l'imposant fjord se jetant dans l'immensité du fleuve suscite l'admiration. Qui plus est, le lieu est fréquenté par les baleines qui tirent parti d'une nourriture abondante, le kryl, propulsé des profondeurs du fleuve vers la surface par de forts courants verticaux. Si on ajoute à ce décor les immenses terrasses de sable, on convient que le paysage de Tadoussac est grandiose, et qu'il est dominé par des géants. L'été, le tourisme est très intense : les excursions aux baleines, la randonnée pédestre et l'interprétation du milieu naturel sont des activités susceptibles d'intéresser tous les publics.

Jouissant d'une situation géographique extraordinaire, la baie de Tadoussac se trouve à proximité de l'embouchure du Saguenay.

Saguenay et Côte-Nord ▶ Tadoussac

341

Le secteur de la baie

Ce havre naturel abrité des vents est le secteur le plus ancien de Tadoussac. Fréquenté à toutes les époques par les Amérindiens pour la chasse au loup-marin, par les pêcheurs basques, bretons et normands, par Jacques Cartier en 1535 et Samuel de Champlain en 1603, il l'est aujourd'hui par les amateurs de safaris visuels désireux d'admirer les baleines.

L'Anse-à-l'Eau

C'est à cet endroit que William Price installe en 1838 une scierie à vapeur et que le premier bateau à vapeur accoste en 1900. Le quai de l'Anse-à-l'Eau reçoit aujourd'hui le traversier reliant Tadoussac à Baie-Sainte-Catherine.

Le Saguenay, une immense entaille dans la masse du plateau laurentien.

La baie et l'hôtel Tadoussac. Un premier hôtel fut construit sur le site dès 1865 par la Tadoussac and Sea Bathing Co. En 1942, ce bâtiment fut jugé désuet par le propriétaire de l'époque, la Canada Steamship Lines. On décida d'en construire un nouveau, avec une piscine, un golf et des tennis. C'est l'hôtel actuel.

Les maisons villageoises

Quelques rares alignements de maisons anciennes de la seconde moitié du XIXe siècle ou du début du XXe siècle évoquent le noyau villageois d'autrefois. Plusieurs chalets et résidences d'été témoignent de l'attrait que Tadoussac a toujours exercé sur les villégiateurs.

La chapelle des Indiens (MH)

Cette chapelle, agrandie d'une sacristie vers 1850, daterait de 1747. De cet endroit, on voit bien le magnifique hôtel établi en 1942 par la Canada Steamship Lines.

Les terrasses de sable

L'immense plateau de sable qui domine le fleuve constitue l'un des plus formidables attraits de Tadoussac. À sa base, un sentier longeant la falaise permet de découvrir de magnifiques petites anses.

Frederick Temple Dufferin
1826-1902

Gouverneur général du Canada de 1872 à 1878, il a joué un rôle important dans la conservation et la reconstruction des murs d'enceinte de la ville de Québec. La grande terrasse qui occupe le devant du Château Frontenac porte d'ailleurs son nom. À Tadoussac, la maison où il séjournait l'été occupe un site en surplomb à l'extrémité nord de la rue du Bord-de-l'Eau.

Cette colossale terrasse de sable, que les skieurs dévalaient autrefois, ne peut appartenir qu'à Tadoussac, dans une nature faite pour les géants.

Le parc marin du Saguenay
À côté de la pisciculture, un sentier pédestre conduit au parc marin du Saguenay. De cet endroit, on a des vues saisissantes du fjord.

Lieu touristique très fréquenté, Tadoussac renferme sur son territoire plusieurs types d'hébergement, dont quelques auberges et gîtes discrets.

Les croisières touristiques sur le Saguenay ont commencé au milieu du XIXᵉ siècle. Déjà, en 1853, le vapeur Saguenay faisait escale à Tadoussac avant de s'enfoncer dans le fjord, un service qui s'est perpétué jusque vers 1960. Aujourd'hui, on lui a redonné vie : ci-contre, le navire de croisière Fedor Dostoïevski arrivant à Tadoussac.

De petites anses au décor séduisant jalonnent la rive entre le cœur du village et le secteur des dunes.

Un alignement de maisons qui évoque les années 1900.

Cette petite chapelle daterait de 1747, à l'époque où Tadoussac n'était qu'un poste de traite. Après la fermeture du poste en 1859, curés et paroissiens s'occupèrent de son entretien.

Observer les baleines en bateau, le sport favori des estivants de Tadoussac? À moins qu'on ne puisse les survoler, pour mieux distinguer leurs grandes masses floues dans l'eau.

« À l'embouchure de la rivière Saguenay se trouve Tadoussac, ancien poste de la Compagnie de la Baie d'Hudson, qui renferme un petit village agréablement situé sur une élévation demi-circulaire, entouré de hautes montagnes. Le principal commerce de l'endroit est le bois de construction, et plusieurs moulins à scie sont mis en mouvement par les rivières qui sortent de l'intérieur. Quoique le havre de Tadoussac soit peu étendu, cependant il peut contenir une vingtaine de navires de première grandeur, et à l'aise; son mouillage est très sûr, et bien abrité par les hauteurs dont je viens de parler.
Tout près de Tadoussac, en remontant la rivière Saguenay, se trouve l'Anse-à-l'Eau, où se trouvent établies un égal nombre de familles, et dont les chefs sont occupés dans les moulins ou chantiers à bois de M. Price. Cette anse est petite, mais elle offre un bon mouillage... »

Stanislas Drapeau, 1863

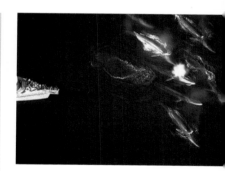

ADRESSE UTILE

L'Hôtel Tadoussac, 125, rue du Bord-de-l'Eau. Situé à un endroit qui vaut le détour, ce vaste hôtel offre une vue splendide. Sa silhouette se découpe dans le paysage de Tadoussac depuis 1942.
Tél.: 418-235-4421

Harrington Harbour

Dans un paysage de toundra maritime, de fragiles maisons agrippées à une île rocheuse

1. Île Harrington
2. Île du Jardin
3. Harrington
4. Île de l'Entrée
5. Île Schooner
6. Île du Cap
7. Île Gull Cliff
8. Île Fox
9. Golfe du Saint-Laurent

À 200 kilomètres au sud-ouest de Blanc-Sablon, et à 320 kilomètres au nord-est de Havre-Saint-Pierre, une île hors du commun, Harrington Harbour, est le centre d'activités d'un petit archipel marin de la Basse-Côte-Nord. Son paysage de toundra maritime possède un sous-sol rocheux composé de granits roses et gris, de mousses et de lichens parsemés ici et là d'arbres nains. Disséminées dans un décor saisissant, de petites maisons en bois se dressent toutes fragiles dans ce rude pays.

Vers 1871, des familles anglo-protestantes originaires de Terre-Neuve s'installèrent sur l'île et ses alentours. Bientôt d'autres familles suivirent, assez pour qu'on construise une première église presbytérienne vers 1900. En 1907, une société de Londres, la Deep Sea Mission, mit en place l'hôpital Grenfel qui contrôlait des *Nursing Stations,* de petites antennes locales disséminées sur le territoire. C'est ainsi que Harrington Harbour devint un centre régional de santé pour les habitants de la côte : l'agglomération comptait une population de 160 âmes, soit près de 40 p. 100 de la population actuelle.

L'activité économique a longtemps reposé sur la pêche à la morue et au hareng. En 1965, la compagnie Barring Brothers de Terre-Neuve installa une fonderie pour l'extraction de la graisse de loup-marin. L'entreprise n'a fonctionné que pendant cinq ans et, aujourd'hui, la pêche aux crustacés a pris la relève.

On a pratiqué la transhumance pendant longtemps. Les familles de pêcheurs déménageaient sur des îles avoisinantes où elles s'installaient pour l'été. Les gens retrouvaient alors une petite maison sommaire entourée de ses équipements indispensables : un petit quai, un chafaud, et un hangar pour les

agrès. Les *flakes,* des plates-formes fabriquées à partir de petites tiges d'arbres écorcés, clouées sur des montants de bois, servaient à sécher les filets et la morue.

Traditionnellement, l'occupation humaine s'est faite le long de la côte. Les maisons occupaient le pourtour de petites anses où, pour plus de commodité, la plupart des maisons présentent leur façade arrière au rivage. Un réseau de trottoirs de bois, de fabrication relativement récente, complète par endroits des sentiers rocheux.

Encore aujourd'hui, on remarque dans le village et sur le territoire de l'île ces bâtiments d'usage domestique typiques des milieux maritimes de l'Est. Les maisons à toit à deux versants, colorées, sont recouvertes de bardeau de cèdre ou de déclin de bois. Un tambour protège l'entrée et les fenêtres sont fermées par des châssis à guillotine. Quant aux dépendances, le plus souvent de couleur blanche, elles sont enjolivées par un découpage en rouge ou en vert foncé.

Aujourd'hui, l'île compte environ 350 personnes qui vivent toujours de la pêche. Avec quelques îles des environs, renommées pour la faune marine et les espèces d'oiseaux rares, Harrington Harbour fait l'objet d'un projet récréo-touristique majeur qui devrait la transformer dans les prochaines années en centre de tourisme d'aventure appelé à un rayonnement exceptionnel.

Le quai

Pendant la saison estivale, le quai de Harrington Harbour est la fenêtre ouverte sur le monde extérieur : on y achemine par bateau courrier, provisions et marchandises diverses. Le quai regroupe différentes structures : un entrepôt frigorifique, une usine de traitement des produits de la mer, un bureau de réception pour le bateau-passeur et des conteneurs dans lesquels arrivent à peu près toutes les marchandises. Le quai actuel a été construit en 1920.

Cale de hâlage

L'échouerie a traditionnellement constitué le lieu où les bateaux de pêche étaient hissés à sec pour être réparés ou pour leur entreposage hivernal.

L'anse à Bill

L'anse à Bill est typique des petites anses du paysage insulaire de Harrington Harbour et des îles environnantes.

Île Schooner

On trouve sur cette île les vestiges d'une ancienne fonderie où on pratiquait l'extraction de la graisse de loup-marin.

L'anse à Bill, une anse typique autour de laquelle se concentrent les petites maisons de pêcheurs.

Départ pour la pêche.

ADRESSE UTILE

 Harrington Harbour
Pour s'y rendre :
Canadien International
par avion ou Nordik
Passeur par bateau.
Tél. : 1 800 692-8002

ANCTIL-TREMBLAY, Alain et Audet, Florentine, *Les Éboulements, 300 ans d'histoire*, Saint-Julie-de-Verchères, 1983.

BARIL, Roger et ROCHEFORT, Bertrand, *Étude pédologique du comté de Lotbinière dans la province de Québec*, Ottawa, 1957.

BARIL, Roger et ROCHEFORT, Bertrand, *Étude pédologique du comté de Kamouraska (Québec)*, Ottawa, 1965.

BELDEN AND COMPANY, H., *Illustrated Atlas of the Eastern Townships and South Western Quebec*, 1881.

BLANCHARD, Raoul, *Le Québec par l'image*, Montréal, Beauchemin, 1952.

BLANCHARD, Raoul, *L'ouest du Canada français*, Montréal, Beauchemin, 1953.

BOOTH, John Derek, *Railways of Southern Quebec*, vol. 1, Toronto, Railfare Enterprises Limited, 1982.

BOUCHARD, *L'Anse-Saint-Jean: 150 ans d'histoire*, Société historique du Saguenay, Histoire des municipalités, n° 1, 1986.

Cacouna 1825-1975, Album-souvenir, 1975.

CARTIER, Yves, *Les régions administratives du Québec*, Québec, Publications du Québec, 1990.

CHANNELL, L. S., *History of Compton County and Sketches of the Eastern Townships, District of St. Francis, and Sherbrooke County*, Cookshire, L.S. Channell, 1896.

CIRCA ENR., *La Vallée du Richelieu, Introduction à l'histoire et au patrimoine*, Québec, Ministère des Affaires culturelles, 1981.

COMMISSION DE TOPONYMIE, *Noms et lieux du Québec*. Dictionnaire illustré, Québec, Les publications du Québec, 1996.

COREY, Ethel May, « Rambling Along Corey Neighbourhood », *Missisquoi A Store of Memories*, Vol. 12, Missisquoi County Historical Society, 1972, p. 110-111.

COURVILLE, Serge, *Entre ville et campagne, L'essor du village dans les seigneuries du Bas-Canada*, Québec, Les Presses de l'Université Laval, 1990.

DRAPEAU, Stanislas, *Études sur les développements de la colonisation du Bas-Canada depuis dix ans (1851-1861)*, Québec, 1863.

DRESSER, John A. et DENIS, T. C., *Rapport géologique numéro 20, La géologie de Québec*, volume II, Québec, Ministère des Mines, 1946.

« ECCLES' HILL », *Missisquoi historique*, La société historique du comté de Missisquoi, 1967.

ETHNOTECH INC., *Inventaire contextualisé des établissements de pêche de la Basse-Côte-Nord*, Québec, Ministère des Affaires culturelles, tome 3, 1982.

ETHNOTECH INC., *Un patrimoine à découvrir*, Municipalité de Tadoussac et le Comité culturel de Tadoussac, 1982.

ETHNOTECH INC., *Cap-Santé, Nature et bilan du patrimoine*, document inédit, 1984.

ETHNOTECH INC., *Neuville Pointe-aux-Trembles, Fierté du passé, Regard sur l'avenir*, Municipalités de Neuville et de Pointe-aux-Trembles, 1990.

ETHNOTECH INC. et HURTUBISE, Luc, *Percé, Préservation du milieu*, Ville de Percé, 1985.

FLEURY, Alcide, *Arthabaska Capitale des Bois-Francs*, Arthabaska, 1961.

FORTIN, Jean-Charles et LECHASSEUR, Antonio, *Histoire du Bas-Saint-Laurent*, Institut québécois de recherche sur la culture, 1993.

GAGNON-PRATTE, France, *Maisons de campagne des Montréalais 1892-1924,* Montréal, Éditions du Méridien, 1987.

GAUTHIER, Serge, «Léon Gérin à Saint-Irénée : un sociologue au pays de Charlevoix», *Revue de la Société d'histoire de Charlevoix,* vol. 1, n° 3, (octobre 1986).

GENEST, Bernard, et collaborateurs, «Les artisans traditionnels de l'est du Québec», *Les cahiers du patrimoine 12,* Québec, Ministère des Affaires culturelles, 1979.

GAUTHIER, Serge, «Saint-Irénée 1842-1992. 150 ans d'histoire», *Revue de la Société d'histoire de Charlevoix,* n° 15, (novembre 1992).

«GLIMPSES OF KNOWLTON», *Along the Roads, Lore and Legend of Brome County,* Knowlton, The Brome County Historical Society, 1965.

GOUDGE, M.-F., *Les calcaires du Canada, Gisements et caractéristiques, Partie III,* Québec, Ottawa, Ministère des Mines, 1935.

Groupe de recherches en histoire du Québec inc., *En passant par la Côte de Bellechasse... J'ai rencontré trois beaux villages!* Municipalité régionale du comté de Bellechasse, 1993.

HISTART INC. (Yves Laframboise), *Concept de préservation et de mise en valeur des bâtiments anciens, Sainte-Scholastique et région aéroportuaire,* Ministère des Affaires culturelles et Service d'aménagement du territoire de la région aéroportuaire, Montréal, 1972.

JAY-RAYON, Jean-Claude et TRÉPANIER, Luc, «Basse-Côte-Nord, La côte des archipels», *Continuité,* n° 52, (hiver 1992), p. 42-47.

JONES, C. O., «The Orchards of Frelighsburg», *Rendez-vous with the Past in Missisquoi,* Missisquoi County Historical Society, Vol. 11, p. 25-30.

LAFRAMBOISE, Yves, «La maison en pierre de Neuville», *RACAR Revue d'art canadienne,* vol. 2, n° 1, 1975.

«La grande invasion des *Fenians*», *La chasse aux trésors,* n° 5, La société historique du comté de Missisquoi.

LAROCQUE, Paul, et collaborateurs, *Parcours historiques dans la région touristique du Bas-Saint-Laurent,* Rimouski, Université du Québec à Rimouski, 1994.

LEMIEUX, Denis, «Métis-sur-Mer, un lieu unique à découvrir», *Revue d'histoire du Bas-Saint-Laurent,* vol. 16, n° 2, juin 1993.

LÉTOURNEAU, Raymond, *Un visage de l'île d'Orléans, Saint-Jean,* Saint-Jean, Corporation des fêtes du tricentenaire des fêtes de Saint-Jean, 1979.

MORGAN, Henry James, *The Canadian Men and Women of the Time,* Toronto, William Briggs, 1898.

MUNICIPALITÉ DE TADOUSSAC, *Tadoussac, Un patrimoine à préserver,* 1983.

MURRAY, Irena, Edward et W. S. MAXWELL, *Guide du fonds,* Montréal, Université McGill, 1986.

MUSÉE RÉGIONAL LAURE-CONAN, *Guide historique Charlevoix,* La Malbaie, 1982.

NOPPEN, Luc, *Les églises du Québec (1600-1850),* Québec, Éditeur officiel du Québec/Fides, 1977.

PARADIS, Alexandre, *Kamouraska (1674-1948),* Québec, 1948.

PELLERIN, Maud Gage, *The Story of Hatley,* Hatley, Hatley Branch of the Women's Institute, 1967, réédition.

PERRAULT, Claude, *Montréal en 1781,* Montréal, Payette Radio, 1969.

PHELPS, Margaret C., « Mystic », *Missisquoi County Historical Society,* Eight Historical Report, 1972, p. 183-189

PLURAM INC., *Étude du patrimoine architectural, sitologique et archéologique d'Ulverton,* Québec, Ministère des Affaires culturelles, 1982.

RHICARD, Flora « The School on the Hill », *Missisquoi County Historical Society,* Eight Historical Report, 1965, p. 75-78.

RICHER, Louis, *Sir George-Étienne Cartier,* Parcs Canada, travail inédit n° 187, 1976.

ROCHETTE, Edgar, *Notes sur la côte nord du Bas-Saint-Laurent et le Labrador canadien,* Québec, 1926.

ROY, Anastase, *Maniwaki et la Vallée de la Gatineau,* Ottawa, Imprimerie du Droit, 1933.

ROY, Pierre-Georges, *Les noms géographiques de la province de Québec,* Lévis, 1906.

SCOTT, John M., « Georgeville : le calme serein d'un petit village », *Continuité,* n° 56, p. 20-24.

SMITH, Clifford, *Brome County Scenic and Historical Tours,* Town of Brome Lake, The Brome County Historical Society, 1973.

SOCIÉTÉ DE DÉVELOPPEMENT DE LOTBINIÈRE ET LA MUNICIPALITÉ RÉGIONALE DE COMTÉ DE LOTBINIÈRE, *Lotbinière, Guide de sensibilisation au patrimoine, Quand nature et culture se courtisent,* 1987.

SOCIÉTÉ DU VIEUX PRESBYTÈRE DE DESCHAMBAULT, *Deschambault et son patrimoine,* 1990. *Sur les routes du Québec. Québec, Guide du touriste,* Québec, Ministère de la Voirie et des Mines, 1929.

TAYLOR, Rev. Ernest M., *History of Brome County, Quebec,* Montréal, John Lovell & Son Limited, 1908.

THOMAS, Cyrus, *Contributions to the History of Eastern Townships,* Montréal, John Lovell, 1866.

THIBAULT, André, Vivre entre fleuve et montagne. 325e L'Islet, L'Islet, Comité du livre du 325e, 2002.

TREMBLAY, Rosaire et Gauthier, Serge, « Saint-Siméon, 125 ans d'histoire », *Revue d'histoire de Charlevoix,* Hors-série n° 3, (août 1995).

VANDAL, Joseph O., « Les croisements de vigne au Québec : une première expérience », *Géographes,* n° 4, (octobre 1993).

WOOD, William, *The Storied Province of Quebec, Past and Present.,* Toronto, The Dominion Publishing Company, 1931.

YOUNG, Sherman, « St-John's Wesleyan Methodist Church at Frelighsburgh », *Missisquoi County Historical Society,* Eight Historical Report, 1968.